HISTOIRE DU NATIONALISME QUÉBÉCOIS
sous la direction de Gilles Gougeon
est le quatre cent quatre-vingt-cinquième ouvrage
publié chez
VLB ÉDITEUR
et le trente-quatrième de la collection
«Études québécoises».

HISTOIRE DU NATIONALISME QUÉBÉCOIS

Gilles Gougeon

Histoire du nationalisme québécois

Entrevues avec sept spécialistes

vlb éditeur

VLB ÉDITEUR
Une division du groupe Ville-Marie Littérature
1000, rue Amherst, bureau 102, Montréal, Québec H2L 2N5
Tél.: (514) 523-1182
Télécopieur: (514) 282-7530

Maquette de la couverture: Eric L'Archevêque

Illustration de la couverture: Louis Montpetit

DISTRIBUTEURS EXCLUSIFS:
• Pour le Québec, le Canada et les États-Unis:
LES MESSAGERIES ADP*
955, rue Amherst, Montréal H2L 3K4
Tél.: (514) 523-1182
Télécopieur: (514) 939-0406
* Filiale de Sogides ltée

• Pour la Belgique et le Luxembourg:
PRESSES DE BELGIQUE S.A.
Boulevard de l'Europe, 117, B-1301 Wavre
Tél.: (10) 41-59-66
(10) 41-78-50
Télécopieur: (10) 41-20-24

• Pour la Suisse:
TRANSAT S.A.
Route des Jeunes, 4 Ter, C.P. 125, 1211 Genève 26
Tél.: (41-22) 342-77-40
Télécopieur: (41-22) 343-46-46

• Pour la France et les autres pays:
INTER FORUM
Immeuble ORSUD, 3-5, avenue Galliéni, 94251 Gentilly Cédex
Tél.: (1) 47.40.66.07
Télécopieur: (1) 47.40.63.66
Commandes: Tél.: (16) 38.32.71.00
Télécopieur: (16) 38.32.71.28
Télex: 780372

Dépôt légal — 3e trimestre 1993
Bibliothèque national du Québec
ISBN 2-89005-501-9

Préface

Ce livre est le prolongement d'une série d'émissions diffusées par la Société Radio-Canada les 21, 22, 23 et 24 janvier 1992. Dans le cadre de l'émission quotidienne d'affaires publiques Le Point, *le journaliste Gilles Gougeon et le réalisateur Pierre Devrœde ont présenté «L'histoire du nationalisme québécois».*

Cette série, unique dans les annales de la télévision canadienne, était le fruit d'une minutieuse recherche d'archives appuyée sur le témoignage de sept spécialistes de cet aspect de l'histoire canadienne et québécoise.

VLB éditeur a donc voulu offrir au public la possibilité d'avoir en main la transcription des propos de ces universitaires. On y retrouve les explications et les mises en contexte qui se rapprochent le plus du consensus auquel en sont arrivés les nombreux historiens qui se sont penchés sur cette question depuis des décennies.

Il est important de souligner que ce livre n'est pas le fruit d'un travail collectif de ces spécialistes. Ils ont individuellement répondu aux questions du journaliste et n'ont d'aucune manière travaillé ensemble à la rédaction de cet ouvrage. Les opinions émises dans ces textes ou dans toute autre publication n'engagent que chacun des spécialistes personnellement.

Comme le démontre l'histoire du nationalisme, le Québec est devenu une société ouverte, pluraliste et tolérante, où la libre circulation des idées est une des données fondamentales de la vie quotidienne.

Les spécialistes interviewés dans ce livre ne font pas tous la même analyse ni ne tirent les mêmes conclusions des faits historiques qu'ils décrivent. Certains ont même exprimé publiquement, dans d'autres publications, des opinions diamétralement opposées quant à l'interprétation qu'il faut donner à l'analyse de notre histoire et aux options politiques qui pourraient en découler. À notre avis, les textes que nous publions ici sont exempts de ces opinions et engagements politiques; les spécialistes rencontrés ont su respecter les règles du jeu, c'est-à-dire s'en tenir aux faits et les situer dans leur contexte.

En tant qu'éditeur, nous croyons que cette publication contribuera à éclairer généreusement cette dimension de notre histoire dont la simple description provoque des réactions vives, pour ne pas dire passionnées.

Il fallait aux journalistes Gougeon et Devroede un certain courage pour aborder à la télévision d'État le thème du nationalisme, alors que cette question soulève tant de controverses et de débats, comme l'ont démontré les récents événements politiques. Nous voulons ici prolonger leur démarche en publiant intégralement des propos diffusés dans cette série d'émissions, lesquels ont permis de mieux comprendre le pourquoi et le comment de l'affirmation de l'identité nationale des Québécois.

L'ÉDITEUR

Introduction

Septembre 1991: je dois me rendre à Samarkand en Ouzbékistan. Après le putsch raté contre Gorbatchev, la direction de l'émission *Le Point* m'a dépêché en URSS pour y produire une série de reportages télévisés sur l'émergence de la démocratie dans l'ancien empire des tsars.

Le 5 septembre, je débarque en Ouzbékistan, situé à 3500 kilomètres au sud-est de Moscou, pour voir si la nouvelle révolution soviétique risque de s'étendre au-delà du territoire russe. On m'avait laissé entendre que, loin de Moscou, les eaux vives de la démocratie se perdaient dans le bouillon des cascades des nationalismes.

À mon arrivée à Samarkand, je contacte secrètement un collègue sur lequel je compte pour m'éclairer sur la dynamique sociopolitique locale: «Il saura, m'avait-on dit, te faire le portrait de la situation; les Ouzbeks, les Tadjiks et les Russes s'y disputent le pouvoir sur un fond de culture asiatique et dans un cadre musulman.»

Premier rendez-vous: Alexandre m'attend sur un banc dans un parc. Il se lève, me serre la main, se présente et enchaîne une phrase que je crois être une formule de politesse. Étonnée, l'interprète me la traduit: «Alors, le Québec va-t-il se séparer du Canada?»

À plus de 10 000 kilomètres du Québec, dans une ville où avaient séjourné Tamerlan, Gengis Khān et Alexandre le Grand, sur l'ancienne route de la soie, voilà qu'un homme me ramenait brutalement chez moi. À Samarkand, on se posait donc la même question que des centaines de personnes m'avaient posée au cours de mes reportages en Afrique, en Amérique latine, en Europe centrale, en Scandinavie, dans le golfe Persique, en Europe de l'Ouest, aux États-Unis, au Canada et au Québec.

À mon retour à Montréal à la mi-septembre, je n'étais pas aussitôt rentré au bureau que la direction du *Point* me convoquait pour m'informer que je devais me mettre immédiatement à travailler sur un sujet majeur, explosif, complexe, mais fascinant: l'histoire du nationalisme au Canada français. Jamais je n'ai pensé refuser une telle entreprise.

J'avoue cependant que, pendant quelques secondes, j'eus l'impression que mes patrons avaient ouvert le hublot d'une fusée en plein vol et que je venais d'être aspiré, sans oxygène et sans parachute, dans l'espace sidéral du passé. Comment raconter cette histoire à la télévision dans les délais et avec les moyens d'une émission quotidienne d'affaires publiques? Comment retenir l'intérêt des téléspectateurs habitués aux émotions fortes des téléséries spectaculaires? Quelle période fallait-il couvrir? Qu'est-ce que le Canada français? Qu'est-ce que le nationalisme? Voilà autant de questions qui venaient accentuer le merveilleux vertige créé par cette mission titanesque confiée à un journaliste généraliste, certes passionné d'histoire, mais qui s'est toujours défini comme un spécialiste de l'ignorance.

Puis, j'ai pensé à mon collègue Alexandre, de Samarkand. Je me suis dit qu'il fallait réussir à lui raconter l'histoire du nationalisme canadien-français, puis québécois. Si, en bout de ligne, j'arrivais à faire comprendre cette histoire à un homme de Samarkand, je saurais sans doute, chemin faisant, y intéresser nos concitoyens.

C'est ainsi que démarra ce qui allait devenir un des plus beaux voyages de ma carrière de reporter.

Une équipe formidable

Ce voyage, j'allais le faire en compagnie du réalisateur Pierre Devroede et de son assistant Jean-Claude Beauséjour. Au départ, il nous fallait un guide, car on n'entreprend pas ainsi un voyage dans le passé sans l'aide d'un spécialiste. Notre choix allait se porter sur Richard Desrosiers, professeur au Département d'histoire de l'Université du Québec à Montréal, un homme dont tout le monde nous vantait les qualités de pédagogue et la compétence historique. Nous n'allions pas être déçus.

Il fut convenu que nous chercherions à raconter ce qui se rapprochait le plus du consensus au sein de la communauté des historiens. Il est évident qu'il n'existe pas, sauf en pays totalitaire, une «histoire officielle», une version unique et définitive des faits rapportés. Il était cependant essentiel d'arriver à raconter une histoire à laquelle pouvait facilement se rallier l'ensemble des historiens.

Nous avons ensuite déterminé la période qu'il fallait couvrir. À partir de quand pouvions-nous témoigner de l'émergence d'une identité nationale? À l'évidence, il fallait remonter au régime français, à la Nouvelle-France, alors que les premières générations nées en Canada commençaient à se distinguer de leurs parents qui, eux, se considéraient encore comme des Français. C'est ainsi que notre périple allait nous emmener de la fin du régime français, vers 1740, soit vingt ans avant la défaite et la cession de la colonie française à l'Angleterre, jusqu'en 1991. Puisqu'il est impossible de prétendre raconter avec rigueur et détachement, comme l'exigent les historiens, les événements des années les plus récentes, il nous est donc apparu nécessaire de bien spécifier que nous allions faire un travail non pas d'historiens, mais de journalistes: l'histoire serait notre matière première, les historiens seraient traités en «témoins» et notre récit serait celui de journalistes qui jettent un regard curieux dans le rétroviseur de l'histoire pour aider les téléspectateurs et les lecteurs à comprendre l'évolution du nationalisme.

Après avoir relevé les principales périodes de cette histoire, nous avons demandé à Richard Desrosiers de nous aider à découvrir les meilleurs spécialistes de chacune de ces périodes, en tenant compte non seulement de leur compétence, mais aussi de leur capacité à bien raconter leur portion d'histoire; nous devions coûte que coûte réussir à produire une bonne émission de télévision.

C'est ainsi que sept des meilleurs spécialistes vinrent cheminer avec nous sur la longue route de la recherche de l'identité et de l'affirmation nationales des Canadiens français:

ROBERT LAHAISE (Département d'histoire, UQAM): de la fin de la Nouvelle-France à l'Acte constitutionnel de 1791.

JEAN-PAUL BERNARD (Département d'histoire, UQAM): des Patriotes du début du XIXe siècle à l'Acte d'Union de 1840.

RÉAL BÉLANGER (Département d'histoire, Université Laval): de la Confédération de 1867 à 1917 (l'affaire Riel, la guerre des Boers, la conscription de 1917).

PIERRE TRÉPANIER (Département d'histoire, Université de Montréal): le nationalisme à l'époque de Lionel Groulx.

RICHARD DESROSIERS (Département d'histoire, UQAM): 1930 à 1960 (Maurice Duplessis, le plébiscite sur la conscription, la Révolution tranquille).

ROBERT COMEAU (Département d'histoire, UQAM): le fascisme des années trente, l'homme politique Georges-Émile Lapalme, l'historien Maurice Séguin.

LOUIS BALTHAZAR (Département de sciences politiques, Université Laval): le nationalisme contemporain.

Chacune de ces personnes a d'abord accepté de me rencontrer pendant quelques heures en préentrevue, sans caméra. J'ai donc eu le privilège de recevoir une «leçon particulière», un cours privé comme peu d'étudiants ont sans doute eu l'occasion d'en suivre. C'était fascinant.

À la suite de cette rencontre, le spécialiste était invité à reprendre devant la caméra les propos et commentaires que nous avions préparés ensemble. C'est le résultat de ces entrevues qui vous est ici offert.

Il faut savoir que ces entretiens, qui ont duré entre une heure et une heure et demie, ont servi à la rédaction des textes de la série télévisée en plus de fournir les éléments sonores que nous avons conservés au montage final. C'est pourquoi l'idée de publier intégralement ces interviews nous est apparue lumineuse. Il aurait été insensé de laisser dormir dans nos archives des propos, des synthèses et des commentaires si pertinents. De plus, n'avions-nous pas réuni sept des meilleurs historiens du nationalisme, un exercice difficile à réussir sans la magie de la télévision?

Pourquoi cette série?

La décision de produire et de diffuser cette série télévisée (*Le Point,* du 21 au 24 janvier 1992) à ce moment précis de l'histoire du Québec s'inscrivait dans le contexte de l'éventuel référendum qui allait se tenir au cours de l'année 1992 sur la redéfinition des rapports entre le Québec et le reste du Canada. Il y avait eu l'après-Meech, le rapport Allaire, la commission Bélanger-Campeau, la commission Beaudoin-Dobbie. Le Québec s'interrogeait, encore une fois, sur son avenir; le Canada aussi. Le mot «nationalisme» était galvaudé, claironné, conspué; certains concentraient leurs efforts à rétablir l'équation traditionnelle des années trente entre nationalisme et fascisme, nationalisme et racisme, nationalisme et intolérance, alors qu'aux yeux de plusieurs il n'y avait là que l'expression populaire de l'affirmation d'une identité nationale propre.

Nous avons donc choisi d'utiliser la télévision, avec ses défauts et ses qualités, pour raconter comment avait évolué cette identité nationale: de Français à Canadien, à Canadien français, à Québécois. Nous avons essayé de comprendre les hommes et les événements qui ont marqué cette histoire qui a vu le nationalisme ethnique évoluer vers le nationalisme territorial et linguistique.

Je tiens à remercier les universitaires qui nous ont appuyés, le réalisateur Pierre Devroede et son assistant Jean-Claude Beauséjour, les collègues des services des archives et de la musique de Radio-Canada, les musées, centres de recherche et entreprises qui nous ont donné accès à leurs archives, la direction du *Point* (Jean-Marc Desjardins, François Brunet et Alain Saulnier), de même que la direction de VLB éditeur qui a pris l'initiative de publier le contenu intégral des interviews.

J'ai toujours cru qu'une émission de télévision devrait inciter les gens à lire et à mieux s'informer sur le sujet abordé. Ce livre prolonge tout naturellement la série télévisée de janvier 1992.

GILLES GOUGEON
journaliste
Société Radio-Canada

Première partie

La première émission amorce l'étude du nationalisme, depuis la fin du régime français et de la défaite de 1759 jusqu'à la création de la Confédération canadienne en 1867. On y voit comment, dès le départ, les gens d'ici se distinguaient des Français, des Britanniques et des Américains. Mis en minorité dans leur propre pays, les «Canadiens» (c'est-à-dire les francophones) composent avec les «Anglais» avec qui ils cherchent les moyens de bâtir un pays démocratique.

Les historiens interviewés sont Robert Lahaise et Jean-Paul Bernard.

Entrevue avec Robert Lahaise

QUESTION: *Monsieur Lahaise, je voudrais d'abord savoir ce que c'est que d'être Canadien. À partir de quelle époque les habitants de ce territoire se sont-ils considérés comme des Canadiens.*

RÉPONSE: Pour cette question — si vaste fut-elle — j'aimerais examiner deux points: d'une part, l'aspect géographique et, d'autre part, l'évolution de la signification du mot *Canadien.*

Commençons par la géographie. Sous le régime français, la Nouvelle-France est un territoire immense s'étendant d'est en ouest depuis les actuelles provinces maritimes jusqu'aux Rocheuses, et du nord au sud depuis la baie d'Hudson jusqu'au golfe du Mexique, à l'exclusion toutefois des treize colonies américaines, allant du littoral atlantique aux Appalaches. Cette Nouvelle-France comprend sept régions — entres autres, la Louisiane et l'Acadie — dont le Canada, qui en est le cœur et qui s'étend de Vaudreuil aux Éboulements sur la rive nord, et de Châteauguay à Rimouski sur la rive sud. Comme, à la fin du régime français, quelque 70 000 des 100 000 personnes de la Nouvelle-France habitent le Canada, on comprend pourquoi on retrouve souvent l'appellation pouvant prêter à confusion: «Nouvelle-France dite Canada».

De l'aspect géographique, passons maintenant à l'appellation Canada. Celle-ci remonte à 1535, lors du deuxième voyage de Jacques Cartier. À ce moment-là, il pénètre dans le Saint-Laurent — on ne sait évidemment pas encore qu'il va s'appeler Saint-Laurent — et, le 10 août, fête de saint Laurent, il arrive à une baie qu'il nommera la baie Saint-Laurent. Cette appellation, Mercator, célèbre géographe hollandais du XVIe siècle, l'étendra par la suite à tout le fleuve Saint-Laurent. Mais revenons à Cartier. Pour lui, en 1535, il s'agit de la rivière de Canada. Pourquoi Canada? C'est que, lorsqu'il navigue sur le fleuve, il existe trois royaumes, — c'est l'expression qu'il utilisera. Le premier, qu'il nommera le royaume du Saguenay, apparaît comme un lieu mystérieux au sujet duquel les Iroquoiens vont faire miroiter d'innombrables richesses. On a ensuite le royaume du Canada, à environ une dizaine de milles en amont et en aval de ce qu'on appelle Québec aujourd'hui. Canada signifiait alors une ville, un regroupement de maisons longues; des sédentaires étaient installés là et vivaient dans des maisons d'une centaine de pieds sur une trentaine.

QUESTION: C'est un mot amérindien.

RÉPONSE: Oui. La capitale, en iroquoien, c'est Stadaconé, ce qui voulait dire le «promontoire», le «roc». Par la suite, ça va devenir Québec, en algonquien, qui signifie «rétrécissement du fleuve». Donc vous avez là le deuxième royaume, qui est le royaume du Canada. Et le troisième, Hochelaga, aujourd'hui Montréal, signifiant en langage iroquoien «chaussée de castor». Ce qui veut dire que, quand Cartier parle en 1535 des Canadiens, il s'agit des Iroquoiens qu'il a rencontrés. Quand Lescarbot écrira son histoire de la Nouvelle-France, publiée à

Paris en 1609, à ce moment-là il parle encore des Canadiens, non pas uniquement pour désigner les habitants du Canada de Québec, mais pour désigner l'ensemble de la population laurentienne.

QUESTION: *Est-ce que ça comprend les habitants qui sont venus de France?*

RÉPONSE: Il n'y en a pas. Disons qu'un certain nombre sont venus avec Cartier et Roberval entre 1534 et 1543, mais ils sont tous repartis, ou encore décédés. Et par la suite, il n'y aura une première habitation à Québec qu'en 1608, alors qu'une trentaine de personnes vont y hiverner. Ce sera une catastrophe, due surtout au scorbut. En 1609, il ne restera que huit Français, auxquels les Algonquiens vont dire: «Venez vous battre avec nous contre les Iroquoiens.» Champlain n'avait donc pas le choix. D'autant plus qu'on comptait au-delà de 100 000 Algonquiens et qu'ils étaient ses proches voisins, alors que les Iroquoiens étaient moins de 20 000 et vivaient à quelque 400 kilomètres de là. Quant à votre question, il n'y a pas à ce moment-là de Canadiens nés au Canada, tel que nous l'entendons. Il y a les Amérindiens, souvent qualifiés d'ailleurs de Canadiens dans la correspondance de l'époque.

Les Canadiens, dans le sens de personnes nées ici de parents français, apparaissent essentiellement sous Frontenac, qui remplit son premier mandat comme gouverneur entre 1672 et 1682. Quand le baron de La Hontan, son ami, écrira sur ce même sujet, il parlera indifféremment d'habitants créoles ou canadiens. Mais à compter des débuts du XVIIIe siècle, c'est clairement cette dernière appellation qui prévaudra jusque vers les 1800, à savoir: les Canadiens sont des francophones habitant la vallée du Saint-Laurent.

Mais durant ces mêmes années, des loyalistes, fuyant les États-Unis nouvellement indépendants, viennent s'établir ici. Il y a donc désormais deux nations distinctes, et nous nous appellerons bientôt Canadiens français. Il en sera ainsi jusqu'à la Révolution tranquille, alors que nous nous affirmerons davantage en rejetant le titre de Canadiens pour adopter celui de Québécois.

QUESTION: Et qu'en est-il du Canada géographique?

RÉPONSE: En 1760, nous sommes battus. Soit dit en passant, je n'ai jamais compris pourquoi on appelait «Conquête» une telle défaite! Mais nous reviendrons plus tard sur ces «vaincus contents».

Le Canada, donc, au moment de la défaite, est formé de cette région de la vallée du Saint-Laurent que nous avons décrite au début du présent exposé. En 1763, par la Proclamation royale de George III, ce Canada devient la colonie du Québec, allant de l'Outaouais à la rivière Saint-Jean et incluant la Gaspésie. En fait, c'est la partie réellement habitée par les «Canadiens».

Dans les années qui suivent, les treize colonies américaines se révoltent contre leur métropole, et celle-ci, pour que nous ne devenions pas les alliés des Américains, nous octroie en 1774 l'Acte de Québec, par lequel nous récupérons la majeure partie de nos droits suspendus ou perdus en 1760 — religion, langue et droit — et le territoire du Labrador et des Grands Lacs jusqu'à l'Ohio. Il s'agit là de la Province of Quebec, comme on l'appellera jusqu'en 1791, alors que réapparaîtra la dénomination Canada.

Toujours dans notre survol à peu près exclusivement géographique, précisons que face à la coexistence maintenant bien établie des francophones et des anglophones, l'Angleterre décidera de nous octroyer, en 1791, l'Acte constitutionnel, par lequel elle crée le Upper Canada — futur Ontario — pour les anglophones, et le Lower Canada, notre future province de Québec, principalement pour les francophones.

Viennent les rébellions de 1837-1838 et le ressac britannique, où on forme avec ces deux entités une seule colonie, dite Canada-Uni. Celui-ci aura une existence pour le moins cahotique jusqu'en 1867, alors que la Confédération regroupe en un dominion, dit Canada, les quatre provinces de Québec, Ontario, Nouveau-Brunswick et Nouvelle-Écosse. Disons simplement, comme il s'agit ici d'une synthèse, que de 1870 à 1949, six autres provinces s'y ajouteront, donnant le Canada actuel.

Parlant du Canada, mentionnons que, comme Terre-Neuve l'a complété en 1949, et que cette province fut découverte par John Cabot en 1497, certains disent que c'est lui le découvreur du Canada et non Jacques Cartier en 1534. Je crois qu'il s'agit là d'un faux problème, car de toute façon, les Amérindiens l'habitent depuis quelque 30 000 ans. Alors, les vrais découvreurs, ce sont eux. Pour en terminer avec le Canada géographique, précisons que, pour l'instant... il s'étend de l'Atlantique au Pacifique, et du 49e parallèle à l'océan Arctique.

QUESTION: *À partir de quel moment les Canadiens, les Blancs qui sont nés ici, qui se considèrent comme des Canadiens, à partir de quel moment marquent-ils leur différence avec les Français qui viennent ici?*

RÉPONSE: Disons que de 1534 à 1632, les résultats démographiques sont pour ainsi dire nuls. Il y a bien des Français qui viennent, repartent ou meurent ici, mais en 1632, on recommence pratiquement à zéro. En effet, on ne dénombre alors à Québec qu'une vingtaine de Français, car dès 1629 l'Angleterre s'était emparée de notre territoire, et la plupart de ses habitants — dont Champlain — étaient repartis pour la France. Celle-ci récupère sa colonie en 1632, par le traité de Saint-Germain-en-Laye. En 1663, on compte 2500 personnes — je parle des Blancs — et, de ce nombre, environ la moitié est née au pays. C'est ce qu'on appelle la génération de l'enracinement. C'est la première fois qu'il y a — je sais fort bien que c'est minime, mais elles y sont quand même — quelque 1200 personnes nées de parents français au pays et qui ne peuvent pas dire: «Je prends le bateau et je m'en retourne en France.» Ces individus ne sont pas français comme tels. C'est pourquoi ils ont déjà commencé à s'adapter et à se différencier. Ils s'adaptent à l'immensité du territoire, grâce, en bonne partie, aux Amérindiens. Prenons l'exemple des raquettes en hiver. En 1665, le régiment de Carignan, qui arrive ici, veut aller se battre contre les Iroquoiens. Les Canadiens ont beau dire: «On ne part pas en hiver, ou au moins, si on part, on le fait avec des raquettes», les Français n'ont pas voulu comprendre, et leur expédition fut un échec total.

Donc, déjà on considérait ici qu'on ne pouvait ni se déplacer ni se battre comme dans la métropole. Nous y reviendrons d'ailleurs, car il s'agit là d'un aspect important de la différenciation. Ils s'adaptent à l'immensité grâce également aux canots. Très rapidement, ils deviennent des coureurs de bois. On a découvert en outre ici une très grande liberté. En France, la société est très structurée: les trois ordres, comprenant la noblesse, le clergé et le tiers état. Ici — et il n'y a rien de péjoratif dans cela — 95 p. 100 des 10 000 immigrants qui arriveront durant le régime français n'ont même pas de quoi payer leur passage. Phénomène aussi clair que normal, des personnes économiquement faibles tentent d'améliorer leur situation. Des personnes qui sont toutefois généralement jeunes et fortes, mais sans argent. Ce qui donne une espèce de nivellement, je ne dirais pas nécessairement par le bas — d'ailleurs, ça signifie quoi le bas ou le haut! —, mais disons qu'il n'y a pas de stratification sociale comme il en existe en Europe. En somme, l'Amérique du Nord a démocratisé ses effectifs, aussi bien en Nouvelle-France qu'en Nouvelle-Angleterre. Tellement d'ailleurs que les administrateurs français s'en offusquent continuellement. L'intendant Hocquart écrira en 1737 que les Canadiens sont «naturellement indociles», alors qu'au moment de notre défaite, Montcalm parlera de notre trop grand esprit d'indépendance, tandis que le comte de Bougainville ira jusqu'à affirmer: «Il semble que nous soyons de nations différentes, et même ennemies.»

QUESTION: Ennemies?

RÉPONSE: Même ennemies. Le mot m'apparaît un peu fort, mais si on regarde ce qui se passe dans le domaine militaire, nous agissons certes différemment. Un dirigeant qui avait très bien compris notre système, c'est Frontenac. Il disait: «Ici, chaque homme prend son arbre.» Donc on se bat exactement comme les Amérindiens et il n'y a pas du tout cette stratégie européenne du style «Tirez les premiers, messieurs les Anglais», et où on se faisait tuer religieusement rangée par rangée. Ici, on espère que l'«arbre» va nous protéger, et ce sera une des différences entre les miliciens canadiens et les soldats réguliers français.

En 1759, alors que la Nouvelle-France tentera un ultime effort pour sa survie, nous alignerons quelque 14 000 miliciens canadiens, 5000 réguliers français et 2000

Amérindiens. N'oublions pas que la population totale du Canada ne s'élève qu'à environ 70 000 personnes. À ce moment-là, nos deux dirigeants militaires sont en opposition totale concernant leurs perceptions respectives quant à l'avenir de la colonie. Précisons que pour la première fois — et la dernière... — le gouverneur général est un Canadien, Pierre de Rigaud de Cavagnal, marquis de Vaudreuil, fils de Philippe de Rigaud, gouverneur français durant le premier quart du XVIIIe siècle.

QUESTION: *Il est né ici. Alors, durant ce conflit, quelles étaient les différences importantes?*

RÉPONSE: C'est toute la stratégie qui est complètement différente. Vaudreuil, Canadien, dit qu'il faut absolument conserver toute la Nouvelle-France, depuis la baie d'Hudson jusqu'au golfe du Mexique, parce que ça permet le commerce des fourrures et une éventuelle exploitation de toutes les autres ressources naturelles, telles les pêcheries et la forêt. En outre, les Canadiens, alliés à une vingtaine de nations amérindiennes, peuvent de la sorte empêcher les colons de la Nouvelle-Angleterre de s'étendre vers l'ouest. Autrement, poursuit Vaudreuil, c'est sans aucun intérêt pour les Canadiens de se recroqueviller dans la vallée du Saint-Laurent pour y devenir des agriculteurs sans avenir. Aussi, lorsqu'on parle de la vocation agricole des Québécois, ça ne rime strictement à rien! Mais comme il nous fallait bien manger et que nous n'avions plus accès au commerce, nous avons donc cultivé patates et carottes! Il faut vivre. Et encore là, rien de péjoratif, mais simplement la constatation qu'il faut cesser de se laisser endormir par des mythes récupérateurs.

QUESTION: *Et quelle est l'attitude des Français?*

RÉPONSE: L'attitude de Montcalm, qui est peut-être plus réaliste, est la suivante: nous ne pouvons conserver l'ensemble de ces territoires. Nous sommes quelque 70 000, et les Américains, un million et demi. En outre, notre territoire les encercle et les empêche d'aller vers l'ouest. Il n'y a qu'une solution, replions-nous dans la vallée du Saint-Laurent et peut-être pourrons-nous alors coexister pacifiquement avec les anglophones environnants.

QUESTION: *Mais lors de la bataille des Plaines, par exemple?*

RÉPONSE: À la fameuse bataille des Plaines d'Abraham dans la nuit du 12 au 13 septembre 1759, quelque 4800 militaires anglais vont escalader les falaises à l'Anse-au-Foulon et s'emparer sans bruit des sentinelles qui s'y trouvent. Réveil plutôt brutal pour les Français, face à ces troupes. Montcalm, pour sa part, dispose d'environ 4000 hommes. Donc 4000 contre 4800, ce n'est pas nécessairement tragique comme différence. Certains ont dit, et je crois que c'est une mauvaise interprétation de l'histoire: «Si Montcalm avait attendu les troupes de Bougainville, il aurait pu avoir une dizaine de milliers de personnes pour l'aider contre les Anglais.» Mais les Anglais, eux, étaient 35 000 et ils escaladaient les falaises durant ce temps-là. En plus, je pense que lorsqu'on voit 5000 militaires en position de combat, on ne s'éternise pas dans de grandes discussions théoriques. Et vous avez donc quelque 2000 miliciens canadiens qui sortent au pas de course et qui se mettent à tirer, sans attendre les ordres, comme ils étaient habitués à le faire dans les forêts. Les 2000 réguliers français sont dépassés par les événements. Les Anglais, pour leur part, ont reçu une directive très stricte: «Attendez qu'ils soient rendus à 40 pieds, et à ce moment-là, tirez.» Et ce fut une catastrophe. Certains se moquent en disant que la bataille des Plaines d'Abraham n'a pas duré une heure. Sans doute, mais après cette cinquantaine de minutes, quelque 1200 Franco-Canadiens et 600 Britanniques gisent sur les Plaines. De toute façon, il ne sert absolument à rien de discuter cette stratégie et des possibilités d'une victoire en 1759.

Nous étions 70 000 contre un million et demi, nous empêchions cette population vingt fois plus nombreuse de progresser vers l'ouest, la France considérait que le Canada lui coûtait une fortune, et l'Angleterre possédait une flotte nettement supérieure. Donc, si nous n'avions pas été battus en 1759 ou en 1760, nous l'aurions été dans les années suivantes, tout comme nous avions failli l'être lors des invasions de Phipps en 1690 ou de Walker en 1711. L'Angleterre voulait le contrôle de l'Amérique du Nord, et la France avait une politique coloniale à courte vue.

QUESTION: *Il y a donc une différence au chapitre des stratégies militaires entre les Français et les Canadiens. Est-ce qu'il y a d'autres différences marquantes entre les deux groupes?*

RÉPONSE: Oui, entre autres l'aspect économique. On peut dire qu'en Nouvelle-France, il existe deux commerces majeurs. En premier lieu, les pêcheries, qui rapportent annuellement cinq ou six millions de livres. Précisons qu'un bon ouvrier gagne environ deux livres par jour. Mais le problème est qu'en matière de pêcheries, la France n'a strictement pas besoin de nous. Ce sont tout simplement des milliers de pêcheurs français qui partent annuellement de France et qui viennent pêcher sur les bancs de Terre-Neuve et des Maritimes, et qui retournent ensuite en France. De telle sorte qu'en 1760, la France ne se préoccupera pas tellement des Canadiens, mais plutôt des poissons canadiens. Elle signera avec l'Angleterre un traité lui permettant de continuer à faire ses pêcheries à Saint-Pierre-et-Miquelon et sur les bancs de Terre-Neuve. Donc, le grand commerce des pêcheries ne rapporte absolument rien aux Canadiens. Quant aux fourrures — dont on a sans doute exagéré l'importance —, elles engendrent des transactions d'environ un million de livres par année, montant nettement inférieur à celui des pêcheries. Sauf que pour les fourrures, la France a besoin des Canadiens et les Canadiens ont besoin des Amérindiens. Les Amérindiens trappent le castor et les Canadiens vont chercher le castor chez les Amérindiens. Comme ce commerce est un monopole exclusif de la France, seule la compagnie détentrice du monopole a le droit de le pratiquer. De telle sorte qu'elle accapare les trois quarts des bénéfices. Quant au quart restant, revenant principalement aux coureurs de bois, ces derniers, aventuriers un tantinet aristocrates, en dépenseront la majeure partie dans l'achat de belles armes, de beaux habits ou de bons vins, tous importés de France. Donc, rien pour nous dans les pêcheries, et environ 12 p. 100 dans les fourrures!

Reste le commerce de détail. À ce moment, des marchands forains, comme on les appelle, c'est-à-dire des représentants des grandes compagnies françaises viennent ici...

Question: Des voyageurs de commerce...

Réponse: Oui, et ils sont évidemment avantagés par le crédit qu'ils ont et par toutes leurs marchandises qui arrivent au prix du gros. En somme, nous étions destinés à être d'éternels dépanneurs!... De telle sorte, d'ailleurs, qu'à la toute fin du régime français, Bigot et sa clique vont tellement monopoliser le commerce et nous voler que certains Canadiens se diront: «Si on se fait battre, ça ne pourra pas être pire que ça ne l'était avec Bigot.» Tout est relatif, et l'historien Fernand Ouellet constatera que seulement une quinzaine d'années après notre défaite, les trois quarts de l'économie appartiennent déjà aux anglophones!

C'est la triste réalité des vaincus: le commerce ne se faisait plus qu'avec l'Angleterre et ses colonies, et nous étions ruinés. Donc, on disait: «Le commerce, c'est pour les Anglais, mais, ajoutait-on, la culture, c'est pour nous!» Et une fois sur cette lancée de la récupération, nous appellerons Conquête le fait d'avoir été battus — comme si les Français parlaient de la victoire de Waterloo... — et mieux encore, vers la fin du XVIIIe siècle, nous dirons qu'il s'agit d'une «Conquête providentielle». Deux raisons expliquent cette «aplaventrisme» de vaincus contents. Raison politique en 1791, alors qu'avec l'Acte constitutionnel nous octroyant le droit de vote, le juge en chef William Smith nous dit que nous sommes enfin passés «de la tyrannie au parlementarisme». Raison religieuse ensuite, puisque la Révolution française s'avère extrêmement anticléricale, alors que l'Angleterre, depuis l'Acte de Québec, nous laisse la paix dans ce domaine. Donc, disent les clercs, si nous étions demeurés sous la domination française, le catholicisme serait interdit, alors qu'avec les Anglais, il est permis. D'où: «Vive la Conquête providentielle!»

QUESTION: Donc, si on fait un peu la synthèse de cette question de l'identité, comment est-ce qu'on peut dire que, même avant la défaite, les gens d'ici s'appelaient des Canadiens?

RÉPONSE: Les gens d'ici, indéniablement, s'appelaient des Canadiens depuis Frontenac, depuis la fin du XVIIIe siècle. Les gens d'ici avaient nécessairement leurs territoires, leurs familles et leurs fermes. Cette identification apparaîtra très clairement dans leur façon de vivre, de parler. Nous savons qu'en France il y avait quelque 35 provinces, avec un accent — parfois presque une langue! — très différent dans bien des endroits. Ici, l'accent sera presque uniformisé, et il semble bien que la cause principale en soit nos premières mères. Je m'explique. Au début, il n'y avait pour ainsi dire que des hommes qui venaient dans la colonie. Mais comme on voulait en faire un «provignement de la France», entre les années 1665 et 1673, on y enverra environ 900 «Filles du roi» — c'est-à-dire des orphelines élevées par des religieuses aux frais du roi, ce qui nous éloigne passablement des «amazones du lit» du fumiste La Hontan —, donc, «Filles du roi» pour l'équilibre des sexes et une rapide procréation. Comme elles viennent de la région de Paris et seront nos aïeules pour l'immense majorité, elles contribueront à l'uniformisation de notre français parlé. Que celui-ci se soit par la suite particularisé avec les 5000 kilomètres qui nous séparent de la France et l'abandon par cette dernière en 1760 m'apparaît normal.

QUESTION: *Si vous voulez, passons maintenant à une autre manière de s'identifier, de se caractériser, c'est l'attitude des Canadiens face aux Américains, face aux volontés d'indépendance des États-Unis. Y a-t-il eu là aussi une manière de se démarquer? Puisqu'on ne s'identifiait plus aux Français, s'est-on considérés comme des Nord-Américains?*

RÉPONSE: C'est un point évidemment important. En quelques mots seulement, tout le monde sait qu'il y a eu une révolution américaine. Quel est le rapport avec nous? Le voici. La guerre de Sept Ans (1756-1763) avait coûté très cher à l'Angleterre. Aussi, aux lendemains de ce conflit, a-t-elle dit à ses treize colonies américaines: «Je vous ai débarrassées de la Nouvelle-France, vous allez maintenant m'aider à payer une partie des dépenses engagées.» On connaît la réponse: «*No taxation without representation.*» Menaces anglaises; les Américains, eux, s'interrogent sur d'éventuels alliés. Ils se disent que les Canadiens, entre autres, battus par les Anglais une quinzaine d'années auparavant, devraient en être. En somme, «les ennemis de nos ennemis sont nos amis»...

Ce qui ne s'avérera que partiellement vrai. Disons que lorsque les Américains envahissent le Canada en 1775, les Canadiens leur sont plutôt sympathiques. Mais — et il s'agit d'un «mais» capital — ils sont absolument convaincus que les Américains vont se faire battre. En 1775, l'Angleterre est la grande puissance mondiale. Les Américains, pour leur part, ne sont que deux millions et de piètres militaires. La preuve, c'est que malgré le fait qu'ils étaient vingt fois plus nombreux que les Canadiens, ils ont eu besoin de l'Angleterre pour en venir à bout.

En plus, Mgr Briand avait menacé d'excommunication toute personne qui de près ou de loin collaborerait avec les envahisseurs. Ajoutons que clercs et nobles avaient été satisfaits par le tout récent Acte de Québec et qu'ils tentaient de convaincre les Canadiens de redevenir les fiers miliciens qu'ils avaient été une quinzaine d'années plus tôt. Mais voilà le hic: pour se battre du côté des Anglais cette fois! D'où, sur les quelque 20 000 «miliciables», seulement 800 combattront pour l'Angleterre, et peut-être 400 pour les Américains!

En 1778, la France se rallie officiellement aux Américains, et ces derniers nous font miroiter notre délivrance par l'ex-métropole. L'excitation recommence dans la vallée du Saint-Laurent, et un curé utilise même son tabernacle pour y cacher des messages d'«insurgents». Mais toute cette propagande n'est que du tape-à-l'œil, et la réalité s'avère beaucoup moins sentimentale; à quinze ans d'intervalle, l'Histoire nous ramène à notre triste rôle de pions! Entre 1760, chute de Montréal, et 1763, traité de Paris, nombre de parlementaires britanniques avaient dit: «Ne gardons surtout pas le Canada, mais remettons-le à la France, afin que la menace française fasse sentir à la Nouvelle-Angleterre le besoin de notre alliance.» En 1778, la France de Louis XVI dit: «Ne nous emparons surtout pas du Canada, afin que la menace britannique fasse sentir à la Nouvelle-Angleterre le besoin de notre alliance»...

La morale de ces rapports avec les Américains? D'une part, et pour la première fois, nous avions refusé d'obéir à nos dirigeants traditionnels, les clercs et les nobles, participant ainsi pleinement à l'esprit contestataire qu'on retrouve alors en Nouvelle-Angleterre, ainsi que chez les Encyclopédistes. D'autre part, nous commençons vaguement à nous rendre compte que les grandes puissances ne s'intéressent à nous qu'à titre de monnaie d'échange ou de chair à canon. Nous nous en souviendrons en 1914 et en 1939.

QUESTION: Il y a eu, en 1791, l'Acte constitutionnel, qui a donné naissance par la suite à des mouvements de révolte avec Papineau et tout son groupe. Comment faut-il situer cette volonté d'identité dans le cadre de l'Acte constitutionnel de 1791?

RÉPONSE: Très rapidement, 1774 avait satisfait, à tout le moins, les dirigeants québécois. Maurice Séguin, historien nationaliste important, disait qu'il s'agissait de la première bénédiction séparatiste de la part de l'Angleterre à l'égard de la nation canadienne-française. L'indépendance des États-Unis ratifiée par le traité de Versailles, en 1783, modifiera toutefois les données. Quelque 90 000 loyalistes quittent alors les États-Unis, dont près de la moitié viennent s'installer dans les colonies de l'Amérique du Nord britannique. Certains quittent les États-Unis parce qu'ils sont mystiquement convaincus qu'ils ne pourront s'épanouir qu'avec les institutions britanniques; d'autres, ayant collaboré avec les Anglais, ne peuvent plus demeurer aux États-Unis; et un certain nombre enfin se découvrent un amour soudain pour l'Angleterre, face à la générosité de cette dernière pour tous ceux qui abandonnaient terres et maisons afin de lui demeurer fidèles. Environ 35 000 se dirigent vers les Maritimes — la place ne manque pas depuis la déportation des Acadiens — et 7000 vers le futur Ontario. Contrairement à ce qu'avaient prévu les deux premiers gouverneurs, Murray et Carleton — et qui nous avait valu un statut politique raisonnable —, les francophones ne seront peut-être plus toujours majoritaires au nord des États-Unis. On ne peut tout de même pas imposer aux loyalistes le droit français et la religion catholique. Il faut donc un nouveau régime permettant aux anglophones et aux francophones une évolution normale.

Ce sera l'Acte constitutionnel de 1791, divisant la colonie du Québec en deux provinces: le Haut-Canada, où les anglophones seront majoritaires, et le Bas-Canada, où les francophones seront majoritaires. Mieux encore, on instaure le régime démocratique dans chacune de ces provinces, présumant que les majorités légiféreront selon leurs besoins et avantages respectifs. Nouveau miroir aux alouettes: jusqu'en 1791, nous savions que nos seuls droits provenaient de la bonne volonté de nos gouvernants. Mais à compter du moment où nous élisons nos députés, ceux-ci croient réellement pouvoir légiférer en notre nom. Or, jusqu'en 1848, le gouverneur aura, à toutes fins utiles, des pouvoirs absolus, pouvant imposer son droit de veto et s'appuyer sur les membres qu'il a nommés au Conseil législatif. Frustrés, les députés de la Chambre d'assemblée se radicalisent bientôt et forment le Parti patriote dirigé par Louis-Joseph Papineau. Celui-ci, jusqu'en 1822, croit sincèrement que le Bas-Canada peut s'épanouir grâce aux institutions britanniques et qu'il peut même s'acheminer de la sorte vers une autonomie à peu près complète. Tellement d'ailleurs que, lorsque George III meurt en 1820, Papineau se fait son panégyriste, disant que ce roi juste avait heureusement remplacé un Louis XV corrompu et que la démocratie britannique nous permettait tous les espoirs. Et il ajoutait cette éternelle quadrature du cercle chère à nos paradoxaux dirigeants: «Sachons agir comme des sujets anglais et des hommes indépendants.» En somme, tel que le stipulera le statut de Westminster en 1931: un Commonwealth formé de pays tous égaux unis par «leur commune allégeance à la Couronne». Ou mieux encore, comme nous dirions aujourd'hui: «Un Québec indépendant dans un Canada uni»! Mais ne bousculons point les Parques et revenons en 1822, alors que Papineau apprend qu'il s'en est fallu de bien peu pour que Londres ne légifère plus que discrètement l'union des deux Canadas sans même qu'on en soit ici prévenu! On aurait tout simplement regroupé en un United Canada les 420 000 Bas-Canadiens et les 125 000 Haut-Canadiens, donnant à chacune de ces deux identités une représentation égale! Il s'agissait d'ailleurs là d'une douce marotte que l'Angleterre venait d'appliquer à l'Irlande récalcitrante.

À compter de ce moment, c'est une véritable prise de conscience pour les Patriotes que cette menace d'unitarisme assimilateur contre laquelle, pour être réaliste, ils ne peuvent rien légalement. Mais alors... reste l'illégalité! Surtout que la nouvelle révolution française de 1830 fait boule de neige non seulement en Europe, mais également ici. Car les Canadiens, loin d'ignorer ce qui se passait à l'extérieur de leur province, comme le veut une certaine tradition «béotiennisante», étaient parfaitement au courant de tous les événements d'importance. Ils l'avaient démontré lors de l'invasion américaine des années 1775 à 1783; avaient récidivé lors des victoires napoléoniennes; et, avec les «Trois Glorieuses» de 1830, notre Napoléon — plus prosaïquement né Aimé-Nicolas — Aubin peut moduler que «du Saint-Laurent aux rives de la Seine, [nul ne peut] se taire au nom de *Liberté*».

Suivra alors l'enchaînement des réclamations des Patriotes, inévitablement refusées par Londres. Ce qui donne lieu à l'escalade des assemblées contestataires et manifestations culminant enfin dans les rébellions de 1837-1838. Mais il s'agit là d'un autre domaine, et qui n'est pas le mien.

QUESTION: En terminant, monsieur Lahaise, vous avez beaucoup étudié tout le régime français et aussi le passage au régime anglais. Si vous deviez qualifier la manière dont le nationalisme s'est tranquillement affirmé au cours de ces périodes, comment le feriez-vous?

RÉPONSE: Nous avons vu que, dès le XVIIe siècle, les colons de la Nouvelle-France se sont rapidement adaptés à l'immensité nord-américaine, ainsi qu'à ses habitants autochtones et à son climat de «froidure». Ils ne sont d'ailleurs plus des Français, mais des Canadiens, avec leur propre accent et même un folklore nouveau ajoutant au vieux fonds français un univers d'hivers et de forêts peuplés de primitifs aussi fiers qu'impassibles. Quelques milliers de coureurs de bois, missionnaires ou miliciens — «nimbés de souffles d'ouragan», comme l'écrivait notre épique Alfred Desrochers —, ont enjambé l'Amérique du Nord durant plus d'un siècle et, grâce à leurs alliances avec une vingtaine de nations amérindiennes, ont pu tenir en échec jusqu'en 1758 une population anglo-américaine vingt fois supérieure en nombre.

Après 1760, il y a le sevrage prématuré d'avec l'ex-métropole et l'inévitable repli qui s'ensuit. La Nouvelle-France — contrairement aux affirmations de certains qui s'improvisent historiens — est ruinée. Des 15 000 Acadiens de 1745, il n'en subsiste sur place qu'un millier. De la Gaspésie à Québec, les troupes de Wolfe ont brûlé presque toutes les habitations. Dans la ville même de Québec, «quatre maisons», repète-t-on, sont seules épargnées par les bombardements en 1759. Et en 1760, l'hécatombe se poursuit et environ un sixième de la population canadienne périt par balle, meurt de froid, de faim ou d'épidémies alors que les autres grelottent dans leur dénuement.

On peut comprendre qu'à compter de ce moment, l'identification canadienne se tranche au couteau: d'un côté, quelque 95 p.100 des habitants sont des francophones, des catholiques, des cultivateurs pauvres, et des nostalgiques d'un passé qu'ils idéaliseront; de l'autre côté, une infime minorité est formée d'anglophones, protestants, commerçants à l'aise, et arrogants comme s'affirment tous les vainqueurs. S'ajoute un lourd passé que nul ne peut oublier: Anglais et Français s'entre-déchirent en Europe depuis 1066, alors que le Normand Guillaume le Conquérant s'empare de l'Angleterre, et ils font de même en Amérique du Nord depuis 1613, date où les Virginiens détruisaient l'habitation de Port-Royal en Acadie. Depuis ce temps, les deux solitudes gaspillent temps, argent et énergie à s'accuser de tous les maux — les minoritaires étant évidemment toujours montrés comme les grands fanatiques — plutôt qu'à préparer une saine collaboration économique chapeautée d'un mutuel respect politique.

BIBLIOGRAPHIE SOMMAIRE

BRUNET, Michel, *Les Canadiens après la Conquête, 1759-1775*, Montréal, Fides, 1969, 313 p.

FRÉGAULT, Guy, *La guerre de la Conquête*, Montréal, Fides, 1955, 517 p.

HAMELIN, Jean, *Économie et société en Nouvelle-France*, Québec, Les Presses de l'Université Laval, 1960, 137 p.

LAHAISE, Robert, *Histoire de la Nouvelle-France, 1524-1760*, Montréal, HMH, 1967, 249 p. (en collaboration avec Noël Vallerand).

LAHAISE, Robert, *Histoire de l'Amérique du Nord britannique, 1760-1867*, Montréal, HMH, 1971, 370 p. (en collaboration avec Noël Vallerand).

LAHAISE, Robert, *Civilisation et vie quotidienne en Nouvelle-France*, Montréal, Guérin, 1973. Mille diapositives accompagnées d'un volume (207 p.) de commentaires et d'une bibliographie thématique.

OUELLET, Fernand, *Histoire économique et sociale du Québec*, Montréal, Fides, 1966, 639 p.

TRUDEL, Marcel, *Initiation à la Nouvelle-France*, Montréal, Holt, Rinehart et Winston, 1968, 323 p.

Entrevue avec Jean-Paul Bernard

QUESTION: *Monsieur Bernard, abordons d'abord cette période autour de 1820. Peut-on parler à cette époque de l'existence d'une forme de nationalisme?*

RÉPONSE: Oui, évidemment. D'une certaine façon, si on confond le nationalisme avec la conscience, le sentiment d'appartenir à un groupe national s'est généralisé partout dans le monde moderne. Alors, dans le Bas-Canada, ce sentiment existait avant, et il existe après, mais il y a quelque chose comme une accentuation à compter des années 1820. C'est qu'à partir de ce moment, il n'y a pas seulement conscience, mais aussi mouvement, c'est-à-dire à la fois l'idéologie et le mouvement qui lui correspond.

QUESTION: *Comment s'affirme ce nationalisme?*

RÉPONSE: Peut-être qu'il faudrait tout de suite dire que, le plus souvent, les nationalismes s'affirment non pas contre ce qu'on pourrait appeler leur vrai contraire, qui serait le cosmopolitanisme, mais contre d'autres nationalismes. Dans ce sens, ici, dans l'empire britannique, il y avait à la fois une population francophone, qui remontait, pour ses origines, au régime français, vieille population sur ce plan-là, et une population plus nouvelle, dont l'accroissement était considérable: l'immigration britannique s'est mise à augmenter rapidement dès les années 1820 et elle était à son maximum dans les années 1830. Compte tenu de la population, cette vague d'immigration a été la plus importante dans ce qui est maintenant le territoire du Québec. À ce moment-là nous assistons à un affrontement entre deux nationalismes, le canadien et le britannique. Jusqu'à un certain point, on n'avait pas de vraie nation, ni dans un cas ni dans l'autre, mais il y avait une certaine aspiration à le devenir. Jusqu'à 1837, dans les deux camps, on pensait avoir de bonnes raisons d'être comme au cœur de la définition de l'avenir de ce territoire-là.

QUESTION: *Il y a eu, à cette époque-là, un parti qui s'appelait le Parti canadien, et qui un jour a changé son nom pour devenir le Parti patriote. Qu'est-ce que ça voulait dire?*

RÉPONSE: L'expression «Parti canadien» définit d'abord très simplement la majorité du groupe de députés à la Chambre d'assemblée. On se met à parler de Parti canadien autour des années 1800-1810. Ce vocable ne disparaît pas complètement, mais il devient quand même secondaire par rapport à un autre nom à compter de 1826. Ce dernier rayonne de façon très nette vers 1832, au point de faire disparaître l'expression «Parti canadien».

QUESTION: *Est-ce que le fait de s'appeler Parti patriote signifie qu'on est plus ouvert ou moins ouvert?*

RÉPONSE: Ça veut effectivement dire plus ouvert. Le mot «Canadien», bien sûr, implique des exclusions. À première vue, du moins, on n'est membre du Parti canadien que lorsqu'on est Canadien. À l'époque, les autres habitants du Bas-Canada, c'étaient des *colonials*, c'étaient des *British Americans*, par opposition aux Américains, et eux-mêmes ne s'appelaient pas Canadiens. Ils s'appelaient Britanniques. L'expression «Canadien français» n'existait pour ainsi dire pas; il y avait les Canadiens, d'une part, et les Britanniques, d'autre part. Pour ces Britanniques, d'une certaine manière, leur appartenance première n'était pas au territoire d'ici. Ils avaient plutôt tendance à définir ce territoire comme seulement une partie de l'empire britannique. Alors, en particulier sur la scène politique mais aussi sur la scène commerciale, les conflits d'influence et les conflits d'aspiration, en ce qui concerne le nationalisme, se manifestaient entre un groupe, le groupe du Parti patriote, qui se réclamait de l'idée même de territoire canadien et de nation canadienne, et l'autre groupe, qui avait plutôt tendance à définir le territoire comme une colonie d'établissement pour une population britannique.

QUESTION: *C'est donc dans ce contexte qu'émergent les Patriotes. Quel genre de pays voulaient-ils?*

RÉPONSE: Le Parti patriote ressemblait davantage — je ne fais pas de propagande politique — au Parti québécois qu'à l'Union nationale.

Pour se désigner eux-mêmes, les gens qui se réclamaient de la nation canadienne parlaient de «compatriotes». Quant aux autres, ils étaient, disaient-ils, des «concitoyens», des «cosujets», par rapport à la Couronne britannique. Ceux qu'ils appelaient compatriotes, étaient à la fois les gens d'origine canadienne — à l'exception de ceux qui n'étaient pas d'accord avec leurs orientations

— et tous ceux d'origine différente qui étaient grossièrement d'accord avec leurs orientations. Et leur orientation, c'était, disons, le développement, dans le cadre de l'Empire britannique, on dirait maintenant, mais on le disait aussi à l'époque, d'une société bas-canadienne distincte. Mais ce projet de société distincte ne concernait pas que les francophones «pure laine». Il impliquait aussi la coexistence avec des gens qui n'avaient pas nécessairement à parler français, mais qui devaient respecter la culture des Canadiens et les droits de la majorité canadienne dans le Bas-Canada. Il s'agissait d'un nationalisme, disons, d'intégration des éléments nouveaux de la population à la population canadienne.

QUESTION: *C'était ouvert...*

RÉPONSE: Oui. Et c'était ouvert sur un autre plan aussi. Beaucoup plus qu'après, ce nationalisme s'inspirait des courants progressistes — on disait alors libéraux — de l'Europe et des États-Unis.

QUESTION: *Donc ces gens étaient des démocrates, qui voulaient un gouvernement responsable, qui étaient pour une tolérance en matière de langue, de religion et qui souhaitaient même la séparation de l'Église et de l'État...*

RÉPONSE: Oui.

QUESTION: *Ils voulaient l'égalité ou la prépondérance?*

RÉPONSE: Si on pose en même temps le problème de l'égalité et de la prépondérance, des paradoxes apparaissent: ce que les uns appellent l'espoir d'égalité, d'autres peuvent le percevoir comme la menace d'une prépondérance. Je m'explique. Nous sommes dans l'Empire britannique. Du point de vue des «patriotes», les gens de la minorité britannique en place, usant de leur lien avec le gouvernement impérial et des relations d'affaires considérables qu'ils entretiennent avec le marché impérial, jouissent d'une prépondérance qui met en péril le développement de la nation canadienne. Et c'est au nom de l'égalité qu'ils mettent de l'avant l'idée de démocratie et de nation canadienne à libérer de la discrimination qui joue en faveur des possesseurs des ficelles impériales. Mais si on se met de l'autre côté, du point de vue des Britanniques, cette affirmation d'une nation canadienne est perçue non pas comme le problème de l'accession des Canadiens à l'égalité, mais comme une menace de prépondérance de leur part à l'égard de la minorité britannique du Bas-Canada.

QUESTION: *Et un jour, on trouvera le moyen de faire en sorte qu'il y ait égalité, mais que la prépondérance change de bord, et on se retrouve à ce moment-là avec une union forcée. Comment faut-il percevoir 1840 dans l'évolution de cette affirmation nationale?*

RÉPONSE: Il y avait eu les rébellions de 1837-1838, qui avaient comme dramatisé un vieux problème, je dirais un problème structurel bien antérieur à ces seules années. Alors, après les rébellions, on appliquera comme solution radicale, du point de vue britannique, l'union du Haut et du Bas-Canada. En 1840, l'Acte d'Union, une loi du gouvernement de Grande-Bretagne, réunit le Haut et le Bas-Canada sous un seul gouvernement. Un peu comme si aujourd'hui les gouvernements, les législations et les institutions du Québec et de l'Ontario devaient fusionner... Alors on décide de réunir ces deux territoires, ces deux entités politiques, avec l'intention explicite extrêmement claire, déclarée, publicisée, de mettre fin au rêve illusoire de la «nation canadienne». On va forcer les Canadiens français, écrit John Stuart Mill, un brillant philosophe et économiste libéral de la métropole britannique, à se considérer dorénavant comme des *British Americans*, en noyant leur nationalité d'origine dans la nationalité plus large d'un pays encore à bâtir.

Bien avant Mill, et le célèbre rapport au gouvernement métropolitain signé par Lord Durham en témoigne, cette perspective avait été celle des adversaires les plus militants du programme du Parti canadien, puis du Parti patriote. Durham allait plus loin dans ce sens en ajoutant au projet de mise en minorité des Canadiens français un deuxième projet, au nom même du bon fonctionnement de l'État et du libéralisme: les conditions d'existence d'une minorité nationale n'étant pas intéressantes, il valait mieux selon lui pour les individus eux-mêmes, pour le progrès et pour l'égalité de tous les individus dans l'État, que la nationalité ancienne fasse place à la nouvelle. Donc, union et assimilation.

De fait, cette assimilation ne se produira pas. Mais cela n'empêche nullement les effets d'une union forcée qui a bel et bien eu lieu, et qui, peut-on dire, a donné à l'origine britannique les bases institutionnelles d'une prépondérance jusque-là menacée dans le Bas-Canada par une affirmation nationale canadienne-française. Bien sûr, après l'Union comme avant, tout le monde peut continuer à manger trois fois par jour. Mais quelque chose a changé concernant la place ou le statut nationaux d'origine dans l'État. Le territoire correspondant à l'exercice du pouvoir étant modifié, il ne sera plus possible pour les Canadiens français de défendre du même souffle nation et démocratie, ou droits de la majorité. Dans ce sens, dans le Bas-Canada, la prépondérance «a changé de bord» et l'Union, faite pour libérer le groupe d'origine britannique d'une éventuelle «tyrannie de la majorité», a désigné plutôt le groupe canadien-français comme celui qui aurait à subir cette possible «tyrannie».

QUESTION: *C'est donc dire que, dès 1840, on peut voir les racines de ce qui allait devenir, peut-être cent ans plus tard, un nationalisme extrêmement refermé et qu'on qualifia, dans les années trente, de non démocratique, de fasciste ou de replié sur lui-même.*

RÉPONSE: Oui, mais l'évolution sur cent ans, c'est complexe, et les facteurs qui interviennent ne sont pas tous en place en 1840. Mais il est très significatif qu'après 1840 l'expression «origine canadienne-française» remplace progressivement l'expression «origine canadienne». Cela manifeste un changement d'horizon, un repli obligé sur des positions défensives qui se marient mieux qu'avant avec la défense des traits nationaux du passé et avec l'influence accrue, parmi les élites, des éléments les plus conservateurs. Le cléricalisme, par exemple, on le sait maintenant incontestablement, est un fait postérieur à 1840, et non de la période antérieure.

QUESTION: *Comment expliquer que le clergé ait pris autant d'importance après 1840?*

RÉPONSE: À court terme, le discrédit des leaders qui avaient participé aux rébellions — que le clergé officiel avait réprouvées et dont il avait prophétisé l'échec — y est pour quelque chose, de même que la conjoncture internationale de réorganisation d'une Église catholique mobilisée contre les idées de la Révolution française. Mais plus fondamentalement et à plus long terme, l'Église catholique a plus de poids dans la définition de l'identité nationale canadienne-française après une Union en 1840, qui ne laisse plus de doute sur la condition de minorité du Canada français.

QUESTION: *Résumons les objectifs des Patriotes.*

RÉPONSE: Ils désiraient éliminer les abus, par exemple dans l'octroi par l'administration coloniale des postes et des terres publics, ainsi qu'un développement économique diversifié, moins dépendant des intérêts du grand commerce impérial. Sur le plan des moyens, ils privilégiaient la primauté de l'assemblée élue par la population sur les conseils, exécutifs et législatifs, nommés par le gouverneur britannique. Pour ce qui est de leurs conceptions de l'aménagement plus ou moins égalitaire de la société, il est plus difficile de les décrire rapidement. Il y a, par exemple, un débat à l'intérieur du parti à propos de la tenure seigneuriale. Leurs adversaires les accusaient de vouloir la maintenir, mais eux, ils voulaient l'abolir vite selon des conditions extrêmement favorables aux seigneurs.

QUESTION: *Il n'y a pas nécessairement d'unanimité.*

RÉPONSE: Il n'y a pas d'unanimité. Je pense que sur ce genre de problèmes, il y a rarement unanimité. On a beau être à l'intérieur d'un mouvement politique qui a son unité, ça ne veut pas dire qu'on y est tous frères et qu'on partage des vues parfaitement semblables.

QUESTION: *Et quelles étaient les orientations majeures qui les réunissaient?*

RÉPONSE: Je pense que c'est l'idée qu'il fallait d'abord partir de la population déjà présente pour construire l'avenir du territoire, alors que, de l'autre côté, d'une certaine façon, on avait plutôt tendance à dire que le pays était encore à créer.

QUESTION: *Donc, après 1840, après l'Acte d'Union, le clergé va occuper une place beaucoup plus importante pour longtemps. Le clergé avait-il des idées nationalistes? Affirmait-il l'identité canadienne-française d'une manière particulière?*

RÉPONSE: Oui. Très naturellement, le clergé pense le monde ou pense l'organisation sociale, il faut bien le comprendre, du point de vue de la religion, du point de vue de la foi, du point de vue de son influence. Pour le clergé, les premières valeurs à protéger ou à développer, c'est la religion, et avec la religion, la langue, les traditions juridiques françaises, parce que, passer à l'autre groupe, ou passer à l'autre culture, ou — l'expression n'est pas tout à fait stricte — passer à l'autre société, c'est autant de chance de perdre ou de laisser aller d'autres éléments de l'identité, en même temps qu'on laisse aller aussi l'identité religieuse. En termes statistiques, il est peut-être vrai, d'un point de vue canadien-français de 1850, que la langue ait été gardienne de la foi. En soi, il n'y a pas de relation, je dirais, essentielle, logique, mais il peut y avoir une relation que je qualifierais de sociologique. Et le clergé le sait. Et ce n'est pas bête du tout de considérer les choses ainsi, mais ça implique que le nationalisme va prendre un petit air — le mot «petit» est un euphémisme — clérical et un petit air conservateur sur le plan social, qu'il n'avait pas avant 1840.

On assiste aussi à la mise en place d'une nouvelle coopération, les politiciens servant d'intermédiaires entre les professionnels francophones, la bourgeoisie d'affaires de langue anglaise — pas complètement, bien sûr — et le clergé. Il y a une espèce de chapeau social qui coiffe assez rigidement le Québec d'après 1850-1860.

QUESTION: *Puisqu'il y a maintenant une union, des parlementaires, des hommes politiques du Bas-Canada siègent donc au sein de ce parlement des deux Canadas. L'un d'eux est Louis-Hippolyte Lafontaine. Un homme comme Louis-Hippolyte Lafontaine a-t-il alors représenté, a-t-il prolongé l'identité canadienne, ou canadienne-française, auprès de ce gouvernement? A-t-il été un homme d'affirmation nationale ou un homme de compromis?*

RÉPONSE: Il ne faut pas opposer radicalement les deux. Je pense qu'il a été à la fois un homme d'affirmation nationale et un homme de compromis. Si on le compare à Papineau, peut-être que la tendance dominante est déplacée. Peut-être que l'affirmation était plus totale chez Papineau et la capacité de compromis, relativement plus grande chez Lafontaine. Dans l'historiographie, et plus chez les vieux historiens que maintenant, on insistait par exemple sur le coup d'éclat de Lafontaine qui, au Parlement réuni à Kingston après l'Union, déclare qu'il va parler en français, même si, selon la loi de l'Union, la langue française n'est pas officielle. «Je dois ça à mes compatriotes, dit-il, et je me le dois à moi-même.» Bon, il y a là quelque chose qui ressemble à ruer un peu dans les brancards. Mais par ailleurs, comparativement à — puisqu'on parle de personne au singulier — Papineau, Lafontaine est celui qui a dû accepter. Dans son premier discours électoral après l'Union, il dit: «Le Canada est la terre de nos ancêtres; il est notre patrie, de même qu'il doit être la patrie adoptive des différentes populations qui viennent [...] s'y établir.»

QUESTION: *Quelle que soit leur origine...*

RÉPONSE: «Leurs enfants devront être, comme nous et avant tout, *canadiens*», poursuit-il. Et cette déclaration est associée à l'affirmation que, sur le plan économique, ça va favoriser «le développement de nos vastes ressources...» On comprend, par exemple, que pour ce qu'on pourrait appeler l'emprunt de capitaux sur le marché anglais, c'est plus facile si les choses sont ainsi. Et de fait, l'Acte d'Union de 1840, c'est aussi une transaction financière, surveillée de près par la maison Baring et Glyn, en Grande-Bretagne, de grands financiers britanniques, qui sont concernés, parce que le gouvernement du Haut-Canada est lourdement endetté envers eux.

QUESTION: *Alors que le Bas-Canada ne l'est pas.*

RÉPONSE: Le Bas-Canada a fait moins de dépenses du côté des travaux publics, il arrive avec moins d'actifs mais aussi avec une dette moins considérable.

QUESTION: *Entre 1840 et 1867, a-t-on senti chez les Canadiens français une volonté qui ressemblerait à l'affirmation américaine qui dit que* «if you can't beat them, join them»... *essayons de jouer le jeu, essayons de nous intégrer dans ce nouveau pays, ou y a-t-il eu des réticences?*

RÉPONSE: De fait, on trouve des éléments de fédéralisme dès les années 1841-1842, lorsque se forment les institutions du Canada-Uni et, de manière générale, après avoir désespéré de l'avenir, on se dit «Oh! ça va aller», et on se met à penser que c'est moins tragique qu'on ne l'avait cru, qu'il y aura moyen de se débrouiller avec ce qu'on a, et l'idée d'une survivance pas si pénible, pas si terrible à supporter devient une idée majoritaire. Il y aura les Rouges qui, à compter des années 1847-1848, tenteront de ressusciter le radicalisme du nationalisme antérieur et qui, sur un autre plan, vont essayer de lutter contre les progrès du cléricalisme. Mais la situation a été changée, et ils ont eu bien du mal à élaborer ce que j'appellerais un programme alternatif. Les Rouges finiront par penser — quelque temps seulement, bien sûr — qu'il n'y avait de solution ou qu'il n'y avait de remède aux maux du Canada français que dans l'annexion aux États-Unis. Leurs adversaires jugeront l'idée illogique, mais c'est plutôt la logique du désespoir. Ça veut dire que s'il faut disparaître comme collectivité, comme communauté, comme société, aussi bien disparaître radicalement dans un univers plus vaste, plus riche, qui donne plus de chance aux individus et plus d'avenir, au fond, aux ambitions personnelles. Et à ce moment-là, les Rouges déclarent que mieux vaut la relation avec les États-Unis que la relation, la liaison obligée, avec le Canada anglais des années 1840. L'ensemble du British North America, avec la Confédération, deviendra le Dominion of Canada, ensemble qu'on a failli appeler — j'exagère — par opposition à Australia, Northalia. Le Canada initial, le Canada de la «nation canadienne», on le voit bien, a fait place à une autre nation canadienne.

QUESTION: On aurait changé le nom.

RÉPONSE: Et le changement de nom aurait été comme un indice, quelque chose qui attire l'attention et qui fait comprendre que ce qui arrive n'est souvent pas compris.

QUESTION: *Quand vous parlez des Rouges, vous parlez de qui? Qui étaient les chefs? Qui étaient les personnages importants chez les Rouges?*

RÉPONSE: Comme parti politique, leur chef le plus important était Antoine-Aimé Dorion, qui n'était pas une personnalité extrêmement éclatante. Mais ils constituaient aussi un groupe culturel, un groupe qui, conjointement avec l'Institut canadien, formait une association coopérative pour la culture, avec des conférences, des livres, une bibliothèque à Montréal, des prêts de livres, etc.

QUESTION: *Ils étaient des libres-penseurs à l'époque.*

RÉPONSE: Oui. Chez les Rouges de l'Institut canadien, le personnage le plus éclatant est Louis-Antoine Dessaulles, le neveu de Papineau. D'ailleurs, Papineau, dans les années 1865-1870, garde des relations avec l'Institut canadien de Montréal. Dans ces années, l'Institut canadien, pour Papineau, c'est un refuge. Ailleurs, il n'existe plus. On ne pense plus les choses comme il les avait pensées. De façon assez générale, on estimait maintenant que les libéraux à la manière de Papineau, les démocrates et les anticléricaux étaient devenus un peu gênants. Le nationalisme canadien-français avait évolué. Dès 1842, Joseph-Édouard Cauchon, député de Montmorency et rédacteur du *Journal de Québec*, opposait l'habileté que Papineau avait montrée dans le passé à «détruire les abus» et l'obligation dorénavant de construire selon «le besoin de l'avenir».

BIBLIOGRAPHIE SOMMAIRE

BERNARD, Jean-Paul, *Les Rouges. Libéralisme, nationalisme et anticléricalisme au milieu du XIXe siècle*, Montréal, Presses de l'Université du Québec, 1971.

BERNARD, Jean-Paul, *Les Rébellions de 1837-1838. Les Patriotes dans la mémoire collective et chez les historiens*, Montréal, Boréal Express, 1983.

DURHAM, John George Lambton, *Le Rapport Durham*, document avec traduction et introduction de Denis Bertrand et Albert Desbiens, Montréal, l'Hexagone, coll. «Typo», 1990.

MONET, Jacques, *La première révolution tranquille. Le nationalisme canadien-français (1837-1850)*, Montréal, Fides, 1981.

OUELLET, Fernand, *Le Bas-Canada 1791-1840. Changements structuraux et crise*, Ottawa, Éditions de l'Université d'Ottawa, 1976.

Revue d'études canadiennes / Journal of Canadian Studies, vol. XXV, no 1, printemps 1990, numéro thématique sur Durham — l'homme et ses idées.

Deuxième partie

La deuxième émission montre comment, de 1867 à 1917, les «Canadiens» (donc les francophones) croient au Canada imaginé en 1867 et se heurtent aux «Anglais» (les anglophones nés ici ou immigrants) qui voient leur pays comme un des membres de l'Empire britannique. L'affaire Riel, la guerre des Boers et la conscription de 1917 sont des événements clés à travers lesquels on retrouve Wilfrid Laurier, Henri Bourassa, Honoré Mercier et les premiers indépendantistes.

L'historien interviewé est Réal Bélanger.

Entrevue avec Réal Bélanger

QUESTION: *Monsieur Bélanger, je voudrais d'abord que vous nous replaciez dans le contexte de 1867. On vient de créer une nouvelle dynamique politique, économique et sociale; qu'est-ce que ça veut dire* 1867?

RÉPONSE: Du point de vue des Canadiens français, 1867 représente diverses réalités. Cette année signifie, bien sûr, la mise en place de la structure fédérale et des moyens favorisant l'épanouissement de la nouvelle nation à créer, soit la nation canadienne, une nation, à leurs yeux, bilingue et biculturelle qui accepte l'égalité des deux peuples fondateurs du Canada. Dans cet esprit, 1867 marque aussi pour eux une entente et un pacte, un pacte entre des provinces et un gouvernement central, mais un pacte aussi entre ces deux peuples fondateurs du Canada qui se respecteront dans l'avenir et qui seront capables, ensemble et partout dans ce grand pays à bâtir, de réaliser de grandes œuvres, de grands projets économiques par exemple.

À un autre niveau, je peux souligner que 1867 représente chez plusieurs Canadiens français une prise de conscience de la mise en minorité politique du Québec qui, dans la nouvelle structure fédérale, n'est plus qu'une province sur quatre, condition qui, croient-ils, ne pourra que s'accentuer. Cette constatation s'accompagne d'une autre tout aussi importante: la Confédération veut aussi dire obtention, enfin, d'un État provincial, d'un État, la province de Québec, où les Canadiens français pourront œuvrer, dans la stabilité, à la préservation de ce qui les caractérise, soit leur langue, leur foi catholique, leur culture, leurs institutions, leurs lois et leur mode de vie. Cette autonomie du Québec est jugée alors des plus importantes, car elle signale en outre la fin du néfaste Acte d'Union de 1840-1841. Précisons ici que les Canadiens français ont alors la nette certitude de former une nation distincte dans ce Canada nouveau, une nation qui repose sur les caractéristiques que je viens d'énumérer.

QUESTION: Et ça, y a-t-il des textes qui le disent?

RÉPONSE: Des textes qui le disent, je peux vous en montrer plusieurs. Je peux ajouter aussi qu'en 1867, et encore plus dans les années à venir, les Canadiens français comprennent bien que la province de Québec est vraiment alors le foyer national de cette nation distincte. Ce qu'il faut saisir en ce début d'entrevue, c'est que c'est sur cette toile de fond d'ensemble que se tissera l'évolution des nationalismes canadiens-français entre 1867 et 1920, mais une toile de fond qui sera alimentée par plusieurs événements et, je dirais, plusieurs provocations de la part de la majorité canadienne-anglaise. Vous notez bien, aussi, que je parle *des* nationalismes canadiens-français et non pas *du* nationalisme canadien-français. Nous verrons, dans cet entretien, qu'il existe en effet plusieurs formes de nationalismes canadiens-français et que celles-ci présentent à la fois des ruptures et des continuités avec celles des périodes antérieures.

QUESTION: *Alors si vous voulez, nous allons parler d'un homme que je voudrais vous voir qualifier puis situer dans son époque, il s'agit de Tardivel. Qui était Tardivel?*

RÉPONSE: Jules-Paul Tardivel est un Américain de naissance qui, en 1868, à l'âge de 17 ans, vient au Québec pour entreprendre des études classiques au Séminaire de Saint-Hyacinthe et apprendre la langue française. Pour saisir sa pensée nationaliste, qu'il exprimera surtout dans son journal *La Vérité*, de 1881 à sa mort en 1905, il faut d'abord la replacer dans celle de son temps et, surtout, comprendre le nationalisme culturel et conservateur dominant alors. En quoi consiste-t-il, ce nationalisme culturel et conservateur? Ses bases principales sont la préservation de la religion catholique, de la langue française, des institutions, des lois et de l'histoire des Canadiens français, mais aussi la défense d'une société conservatrice, réfractaire à l'idée libérale, centrée sur un mode de vie rural et agricole mais capable de composer avec une certaine industrialisation liée à l'agriculture et aux richesses naturelles. Dans ce nationalisme, vous notez sans doute la présence de l'idée de survivance, mais il y a plus. Il y a aussi l'idée de la mission évangélisatrice de la nation canadienne-française sur le continent nord-américain et cette autre, trop souvent oubliée par les chercheurs, de la reconquête pacifique du territoire perdu en 1760. Tardivel s'inscrit dans ce type de nationalisme. Mais il le pousse à certains égards jusqu'à ses extrêmes. Ultramontain, il place en effet la religion catholique au centre des caractéristiques qui définissent la nation canadienne-française. En fait, la religion catholique embrasse toutes les autres caractéristiques qui lui sont ainsi subordonnées. Et Tardivel conclut: chez le Canadien français, le spirituel doit primer le temporel et l'Église doit dominer l'État. J'ajouterai ceci: chez Tardivel, ce nationalisme ultramontain va même plus loin. À cet extrémisme religieux et social, il joindra un extrémisme politique qui l'isolera dans son époque.

QUESTION: *À l'époque, le nationalisme était-il politisé comme il l'a été par la suite?*

RÉPONSE: Bien qu'il faille nuancer la politisation des nationalismes de cette époque, je m'inscris en faux contre ce qu'affirment souvent les politicologues à l'égard de l'apolitisme des nationalismes du XIXe siècle. Ces chercheurs, en effet, proclament trop facilement cet apolitisme sans avoir suffisamment exploité les journaux et les archives du temps. Une analyse minutieuse de ces documents les amènerait à atténuer beaucoup leurs propos. Et certainement à saisir que chez Tardivel, l'aspect politique constitue l'un des éléments fondamentaux de son nationalisme et, à coup sûr, son caractère le plus original. Tardivel, en effet, élabore alors le premier projet séparatiste de l'histoire de la Confédération canadienne, un projet cohérent, dûment constitué, mais un projet différent de celui des Patriotes dont d'autres vous ont déjà parlé et qui précédait 1867. Chez Tardivel, donc, le nationalisme n'est pas tronqué, il forme en quelque sorte un tout à la fois culturel et politique cimenté par la dimension religieuse.

QUESTION: *Mais pourquoi Tardivel croyait-il que la seule solution était la séparation?*

RÉPONSE: Il faut que je précise, au départ, que jusqu'en 1885, Tardivel accepte assez bien la Confédération, car il voit en elle une structure politique qui donne au Québec l'autonomie nécessaire à l'épanouissement d'une société canadienne-française et catholique. Disons donc qu'il se rallie à l'État provincial sous la tutelle de l'État fédéral et de l'État impérial. Mais, progressivement, entre 1885 et 1890, il en vient à rejeter complètement la Confédération. Pourquoi? Au-delà de la personnalité tranchante de l'homme, il faut considérer une argumentation fondée principalement sur cinq éléments qui se renforcent mutuellement. D'abord, il craint beaucoup la mise en minorité croissante du Québec au sein du Canada. En 1885, le Québec n'est déjà plus qu'une province sur sept dans le pays, et sa population, qui représentait 32,3 p. 100 de celle du Canada en 1871, n'en formera plus que 30,8 p. 100 en 1890. Puis, Tardivel se rend compte de plus en plus que les Canadiens anglais ne sont pas disposés à respecter le pacte de bonne entente conclu en 1867. Et ce sont les Canadiens français hors Québec qui en font les frais, car leurs droits scolaires, religieux et linguistiques sont ignorés. En 1871, le problème s'est posé au Nouveau-Brunswick puis, entre les années 1885 et 1890, il se transporte dans l'Ouest, soit dans les Territoires du Nord-Ouest et au Manitoba. Tardivel appréhende donc le pire pour les Canadiens français hors Québec, mais il redoute aussi qu'un jour la menace anglophone, protestante, orangiste et franc-maçonne s'abatte sur le Québec lui-même. Son inquiétude grandit alors qu'il prend de plus en plus conscience des tendances centralisatrices du gouvernement fédéral du conservateur John A. Macdonald qu'il abhorre parce que ce franc-maçon, dira-t-il, sape les bases de l'autonomie provinciale. En outre, le Québec, qui doit à ses yeux demeurer rural et agricole, est en train de s'industrialiser et de s'urbaniser un peu trop dans ce Canada incapable, au surplus, de contribuer suffisamment aux efforts pour freiner l'émigration massive des Canadiens français aux États-Unis. Vous comprenez mieux ainsi ce qui conduit progressivement le directeur de *La Vérité* à considérer la Confédération comme une vraie absurdité géographique, ainsi qu'il l'écrit alors. Mais j'ajoute ceci: ce qui déclenche dans l'immédiat et catalyse véritablement son opposition vigoureuse à la Confédération et sa prise de position séparatiste, c'est la pendaison du métis Louis Riel, le 16 novembre 1885, qui devient le drame majeur de la décennie. C'est à ce moment que Tardivel propose pour la première fois son projet de séparation.

Ce projet, comment puis-je vous le définir? En disant d'abord qu'au-delà des éléments culturels et sociaux de son nationalisme, dont je vous ai parlé précédemment et qui sont bien sûr maintenus ici, Tardivel veut faire du Québec un État séparé qui accomplirait dans sa plénitude l'intégrisme ultramontain. Il s'agit d'un véritable État-nation catholique, d'un État indépendant du Canada, mais non pas de l'Angleterre qui pourrait encore le protéger, d'un État réfractaire à toute annexion aux États-Unis, mais qui conserverait des liens économiques avec le Canada, telle une union douanière, par exemple. Cet État bénéficierait d'un territoire agrandi, non pas seulement celui de la province de Québec d'alors, mais aussi celui des parties françaises du nord-est des États-Unis et de l'est du Canada. En quelque sorte, pour lui, c'est la renaissance de l'ancienne Nouvelle-France, c'est l'espoir de la reconquête. Tardivel, toutefois, nous éclaire assez peu sur le fonctionnement de cet État séparé, sauf que l'on sait qu'il rejettera le parlementarisme canadien, qu'il lorgnera du côté d'un système présidentiel de tendance dictatoriale mais soumis à l'Église, qu'il respectera les minorités établies ici, mais qu'il refusera toute fusion avec elles, envisageant à long terme un État canadien-français homogène. Cet État idéal, pour lui, devrait voir le jour pacifiquement, sans aucune menace pour personne, et au moment où Dieu le voudra, vers 1950 croit-il. Entre-temps, Tardivel invite ardemment les Canadiens français à se préparer à ce grandiose événement et il leur propose un vigoureux programme d'action.

QUESTION: *Le discours de Tardivel a-t-il eu une grande portée? Était-il écouté et entendu dans la population?*

RÉPONSE: Par certains aspects de son nationalisme, surtout sa base culturelle et conservatrice, je dirais que Tardivel est à l'image de plusieurs de ses contemporains et, de ce fait, comme les autres, malgré l'extrémisme qu'il exprime là aussi, il exerce alors une certaine influence sur la population canadienne-française en contribuant à lui procurer un sens d'identité collective. À ce niveau, je peux même affirmer qu'il prépare la voie à des leaders tels Henri Bourassa et Lionel Groulx, mais aussi à des mouvements dont le plus persistant est sans doute l'Association catholique de la jeunesse canadienne-française.

Il en va autrement, bien sûr, si on considère l'aspect politique de son nationalisme, celui qui touche à la séparation du Québec. Je situerais, ici, son influence en deux temps. Dans l'immédiat, Tardivel n'a que très peu d'influence et reste marginal dans la société de son temps. Aucun homme politique d'importance ne le suit alors et son journal *La Vérité*, qui tire à 3000 exemplaires en 1903 et qui est lu dans les presbytères et les collèges, n'est pas acheté par plus de 5 p. 100 des ouvriers. Les Canadiens français préfèrent en très grande majorité le système politique en place. À moyen et à long termes cependant, on peut soutenir qu'à certains égards cet aspect de son nationalisme trouve un peu plus d'écho. D'abord en 1922, lorsque le groupe de *L'Action française* de l'abbé Lionel Groulx flirtera avec l'idée de l'indépendance, puis dans les années trente, lorsque des groupes tels les Jeune-Canada, le journal *La Nation* et des individus comme Dostaler O'Leary n'hésiteront pas à en discuter. Aujourd'hui, l'idée séparatiste est très véhiculée, mais sa base socioculturelle est évidemment bien différente de celle de Tardivel.

Au total, et malgré les nuances que j'ai déjà émises, il faut affirmer que Jules-Paul Tardivel reste le père de la pensée séparatiste sous le régime de la Confédération et demeure, avec Honoré Mercier, la figure dominante du nationalisme canadien-français dans les décennies qui suivent immédiatement la mise en place de la Confédération.

QUESTION: *Vous avez mentionné Louis Riel. Louis Riel vivait loin du Québec. Comment expliquer les répercussions qu'ont eues ici la rébellion des métis et finalement la pendaison de Riel? Qu'a été Louis Riel dans l'histoire du nationalisme?*

RÉPONSE: À mon avis, Riel est très important puisqu'il est alors, et à la fois, un élément déclencheur et catalyseur. Si Riel est à ce point important, c'est que les Canadiens français de l'époque et leurs leaders politiques considèrent, à juste titre ou non mais telle est la réalité, que ce personnage et l'événement qui le secoue se situent dans la lutte, dans le combat séculaire entre Canadiens français et Canadiens anglais, les premiers désirant, bien sûr, maintenir leurs droits et leur nationalité dans le pays.

Quand Riel se fait pendre, le 16 novembre 1885, c'est, à n'en point douter, l'un des compatriotes canadiens-français qui est touché de plein fouet. Et j'ajouterais que certains dont Tardivel et Honoré Mercier n'hésitent pas à l'affirmer bien haut et bien fort. Les deux diront que c'est Riel, notre frère, qui a été exécuté parce que canadien-français et catholique. De là, vous imaginez bien ce qu'est Riel dans l'histoire du nationalisme canadien-français.

Précisons seulement que c'est à partir de ce moment-là que Tardivel devient franchement séparatiste et, plus encore, qu'Honoré Mercier met en branle un véritable mouvement nationaliste et son fameux Parti national formé de libéraux et de conservateurs regroupés ainsi pour mieux défendre la nation canadienne-française et faire valoir ses aspirations. C'est sur cette lancée que Mercier deviendra premier ministre du Québec en janvier 1887.

Il s'agit donc d'un événement important. Mais il y a autre chose aussi. C'est à partir de l'affaire Riel que les Canadiens français comprennent de plus en plus que le gouvernement fédéral n'est pas toujours — et peut-être de moins en moins — prêt à les protéger dans la Confédération. On a déjà pris conscience de son inaction lors de la question des écoles du Nouveau-Brunswick et on s'apprête à la voir se répéter au Manitoba. Progressivement, à compter de l'affaire Riel, les Canadiens français saisissent que le gouvernement fédéral n'est peut-être pas le grand protecteur de leurs droits. De là, aussi, une amorce d'un quelconque repli sur le Québec, mais surtout la conviction renforcée que le Québec est vraiment le foyer national des Canadiens français, l'endroit où, pour l'instant, ils sont le plus protégés. Et, évidemment, le lieu où il ne faudra pas faire de compromis sur les droits car, à terme, l'existence même de cette patrie pourrait être mise en danger.

QUESTION: *Vous faites allusion au Manitoba, au Nouveau-Brunswick ou à l'affaire des écoles; voulez-vous résumer un peu ce débat des écoles séparées et son importance sur le plan réel et symbolique pour les Canadiens français?*

RÉPONSE: Quand les historiens abordent le débat sur les écoles du Nouveau-Brunswick et du Manitoba, ils font référence au débat concernant le droit de la minorité catholique de ces provinces à des écoles séparées, c'est-à-dire à des écoles publiques confessionnelles destinées à la minorité religieuse d'une province. Or, entre 1871 et 1890, dans ces deux provinces, la minorité catholique, composée de Canadiens français et d'Irlandais, ont, dans la pratique, perdu ce droit à des écoles séparées. On doit bien noter que ce débat ne concerne pas principalement la langue française, les discussions à cet égard éclateront un peu plus tard, soit vers 1912, avec le règlement 17 en Ontario. Le débat touche alors à la religion catholique, l'une des caractéristiques fondamentales de la nation canadienne-française. En l'attaquant, c'est la nationalité même qui est bafouée.

QUESTION: Que se passait-il donc? Les Canadiens français voulaient des écoles catholiques et les autres ne voulaient pas... les provinces n'en voulaient pas?

RÉPONSE: Dans les faits, c'est cela. Il faut dire que les Canadiens français catholiques, et ajoutons les Irlandais catholiques, bénéficiaient jusque-là d'écoles séparées dans les deux provinces concernées. Au Nouveau-Brunswick, en 1871, et au Manitoba, en 1890, les gouvernements provinciaux, poussés par la majorité canadienne-anglaise protestante qui refuse l'esprit de 1867, créent un système d'écoles publiques non confessionnelles, ce qui, pratiquement, conduit à l'abolition des écoles séparées catholiques. Allant doublement à l'encontre de sa Constitution provinciale, le gouvernement manitobain va même, en 1890, jusqu'à abolir le français comme langue officielle. Ce ne sera toutefois pas sur ce dernier aspect que porteront les revendications de la minorité catholique. Celles-ci, je le répète, toucheront au problème des écoles séparées. Et revendications il y a alors. Dans le cas des écoles séparées au Manitoba, elles durent de 1890 à 1897 et les Canadiens français du Québec n'hésitent pas à appuyer la cause de leurs frères de l'Ouest. Au total, les revendications s'avéreront vaines au Nouveau-Brunswick et obtiendront une réponse peu satisfaisante au Manitoba. Au terme de ces résultats assez décevants, les Canadiens français du Québec, du moins plusieurs d'entre eux, ne peuvent plus se faire d'illusion. En 1897, ils savent que les réflexions sur leur avenir, qu'ils avaient émises après l'affaire Riel et dont j'ai parlé il y a un instant, restent des plus pertinentes et, surtout, qu'il ne faut pas les oublier. Ils savent aussi que les Canadiens anglais sont prêts à poursuivre leur combat pour bâtir un Canada uniculturel et anglophone. L'enjeu à venir, et ils le reconnaissent, est là.

QUESTION: Et cette loi 17 en Ontario, de quoi s'agit-il?

RÉPONSE: Ça, c'est un peu plus tard, soit en 1912. Il s'agit précisément d'un règlement, le règlement 17, que le gouvernement de l'Ontario adopte alors et qui atteint en plein cœur la minorité canadienne-française de cette province. Ici, les Canadiens anglais délaissent les écoles confessionnelles pour s'attaquer aux écoles françaises, aux écoles bilingues comme on dit alors. Que stipule donc ce règlement 17 qui provient en ligne droite de la définition tronquée de ce pays que tente d'imposer la majorité canadienne-anglaise? En gros, le règlement restreint l'emploi de la langue française, comme moyen d'enseignement et de communication, aux deux premières années du cours élémentaire. En pratique, il conduit à l'abolition presque assurée de l'enseignement en langue française dans les écoles bilingues de l'Ontario.

Imaginez le tollé qui s'élève chez la minorité canadienne-française de l'Ontario! Imaginez le tollé au Québec! Pour résumer, disons que la résistance des Franco-Ontariens est remarquable alors, soutenue en cela par les Canadiens français du Québec, qu'ils soient de l'élite politique, comme Henri Bourassa, Armand Lavergne, Lomer Gouin et Wilfrid Laurier, ou de toute autre classe de la société. En fait, la réaction du Québec est vive à partir de 1912 et pendant toute la Première Guerre mondiale: on y multiplie les assemblées politiques, on y lève des fonds, on y discute fort des «blessés de l'Ontario» et on y attaque ceux qu'on appelle «les Boches d'Ontario». Mais c'est en vain. Au Québec et dans l'Ontario francophone, plus d'un Canadien français estime alors que ce règlement 17 est la confirmation des visées mesquines de la majorité canadienne-anglaise eu égard à la définition du Canada.

QUESTION: *Donc, dans ce contexte, il y a des hommes politiques qui ont récupéré ces mouvements de protestation. Je pense ici à Honoré Mercier. Qui était Honoré Mercier?*

RÉPONSE: Il faut souligner, au départ, que les moments les plus importants de la carrière de Mercier se situent un peu avant ce que je viens de décrire, soit, en gros, entre les années 1880 et 1894. Qui est Honoré Mercier? Mercier est d'abord un conservateur en politique qui, opposé à la Confédération canadienne en 1867, devient militant libéral et même chef du Parti libéral provincial en 1883, un parti alors faible, sans argent et sans organisation, ravagé par les divisions et dont le radicalisme, même atténué, fait encore peur au clergé catholique.

Ce qu'il importe de savoir pour bien comprendre le nationalisme de Mercier, c'est que l'homme est alors frappé par l'environnement sociopolitique du Québec, par cet environnement sociopolitique, vous vous le rappelez sans doute, dont j'ai parlé à propos de l'évolution de la pensée nationaliste de Tardivel et qui l'a conduit à s'interroger sur l'avenir de la Confédération dans les années 1880. Je n'y reviens pas, mais il est essentiel de le garder à l'esprit, du moins dans plusieurs de ses aspects, pour saisir le comportement de Mercier à partir de ces années. Surtout, il faut savoir que c'est la pendaison de Louis Riel, le 16 novembre 1885, qui provoque la réaction la plus vive chez lui, comme c'est le cas chez Tardivel. Mercier prend alors la tête du mouvement national qui s'est créé au Québec contre cette pendaison, ses causes et ses suites et, plus, il va même jusqu'à former un nouveau parti politique, le Parti national, qui regroupera les libéraux et des conservateurs dissidents en désaccord avec la position officielle de leur parti qui a mené à la pendaison du métis. Mercier atteint le sommet de sa carrière le 29 janvier 1887, alors qu'il devient premier ministre du Québec. Il le restera jusqu'en 1891, date à laquelle le scandale de la baie des Chaleurs chassera son gouvernement du pouvoir.

QUESTION: *Quelle a été son influence, quel a été son rôle dans l'affirmation nationale au Québec?*

RÉPONSE: On peut dire que Mercier, politicien flamboyant qui a du panache, est le père de l'idée autonomiste au Québec. C'est lui qui permet alors à cette idée de devenir l'expression politique du nationalisme canadien-français. Mais, commençons par le début. Dans la pratique, comment s'exprime ce nationalisme de Mercier? D'abord, il se manifeste, à l'instar des autres nationalismes de l'époque, par la vigoureuse défense des caractéristiques culturelles de la nation canadienne-française dont j'ai parlé précédemment. Mercier, vous savez, est fier de sa nation et des Canadiens français. Et il ne ménage pas les discours passionnés à cet égard. À l'époque, plusieurs l'entendent crier du haut des estrades des phrases comme: «Cette province est catholique et française et elle restera catholique et française.» Et il précise alors le moyen qu'il privilégie pour assurer cet avenir: «Mes frères canadiens-français, cessons nos luttes fratricides, unissons-nous.» En outre, Mercier, à la fois par sincérité et par opportunisme politique, met alors en veilleuse plusieurs aspects de son libéralisme pour rejoindre un conservatisme social qui le rapproche des ultramontains et de la société en général. Toutefois, il cherche aussi à développer économiquement le Québec et à le rendre à certains niveaux un peu plus moderne; il augmente les investissements de l'État, il tente de moderniser l'agriculture et de mieux l'intégrer au marché, il s'occupe de colonisation et d'éducation. En somme, on peut dire que Mercier met au point un nationalisme culturel complet et d'envergure.

Mercier, bien sûr, ne s'arrête pas là. Il joint à ce nationalisme culturel la dimension politique, une dimension très importante pour lui. Inspiré, en effet, par l'évolution politique de la Confédération dont j'ai parlé plus tôt, par l'évolution des relations fédérales-provinciales, par l'idée que les droits des Canadiens français ne seront protégés véritablement qu'au Québec, par les célèbres *Lettres sur l'interprétation de la Constitution* du juge Loranger qui soutient que les provinces ont créé le gouvernement fédéral et qu'elles ne lui sont pas subordonnées, inspiré donc par toutes ces réalités, Mercier proclame l'affirmation de l'État du Québec et exige d'Ottawa le respect de l'autonomie provinciale, une exigence nouvelle dans la vie politique du Québec. De fait, jusqu'à 1887, c'est l'Ontario, surtout, qui avait manifesté les plus grandes tendances autonomistes dans les relations fédérales-provinciales. Or, à partir de 1887, Mercier s'impose dans ce domaine et va même, cette année-là, jusqu'à convoquer la première Conférence interprovinciale de l'histoire de la Confédération. Dès lors, l'autonomie provinciale devient l'expression du nationalisme canadien-français. Mercier, évidemment, la défend à tous les niveaux, avec pompe, grandeur... et frais, selon son style bien caractéristique, et il pousse l'audace jusqu'à vouloir la faire reconnaître à l'échelle internationale.

QUESTION: *Quand Honoré Mercier parle d'autonomie, il ne parle pas de séparation. Il voit toujours le Québec à l'intérieur de la Confédération?*

RÉPONSE: Vous avez raison. Quand Mercier traite d'autonomie pour le Québec, il ne parle pas de séparation. À l'image des penseurs nationalistes de son époque, Tardivel excepté, Mercier croit au Canada, à la structure fédérale. Selon lui, c'est au sein de la Confédération que doit s'exprimer la nation canadienne-française, mais une Confédération qui respectera l'autonomie du Québec. Cette réalité est incontestable.

QUESTION: *Il croit toujours à la Confédération?*

RÉPONSE: Mercier croit toujours à la Confédération. À certains moments cruciaux de sa carrière, entre 1885 et 1894, année de sa mort, ses prises de position et ses discours enflammés conduisent plusieurs Canadiens anglais à voir en lui un séparatiste, un homme politique qui désire fonder un État indépendant au Québec. Mais tel n'est pas l'objectif de Mercier même si, à l'occasion, il émet des réserves sur la Confédération et sur le comportement de la majorité canadienne-anglaise du Canada. Quand Mercier discute d'indépendance, c'est au cadre impérial qu'il pense surtout. En fait, il désire briser le lien qui unit le Canada à l'Empire britannique, il souhaite que le Canada devienne un pays indépendant.

QUESTION: *À cette époque, un homme commence à émerger: Henri Bourassa. Il est dans la même foulée qu'Honoré Mercier à ce moment-là. Parlez-moi un peu d'Henri Bourassa et de son influence.*

RÉPONSE: Henri Bourassa est un homme important qui a une influence considérable au Québec. Au début du XXe siècle, il est le leader nationaliste le plus en vue de la province. Il deviendra progressivement le mentor d'un mouvement nationaliste qui animera avec ferveur le Québec et qui provoquera le Canada anglais.

C'est en 1899 qu'il surgit véritablement sur la scène politique canadienne. Élu en 1896 au fédéral, sous la bannière libérale de Wilfrid Laurier, dans la circonscription de Labelle, il se fait en effet vraiment connaître en 1899 lorsqu'il réagit aux Communes et dans le Québec à la prise de position de Laurier sur la participation canadienne à la célèbre guerre sud-africaine qui oppose l'Angleterre aux Boers, des colons hollandais du Transvaal et de l'État libre d'Orange. Laurier, en effet, décide alors d'aider l'Angleterre en envoyant en Afrique du Sud des soldats volontaires canadiens. Or Bourassa s'insurge avec vigueur contre ce fait accompli. Il conteste le geste de Laurier, démissionne des Communes, se fait aussitôt réélire sans opposition dans Labelle, revient aux Communes et commence avec fracas sa retentissante carrière.

Toute cette action, Bourassa l'accomplit au nom d'un nationalisme qui affronte alors un nationalisme canadien-anglais tout aussi vigoureux dont je parlerai plus tard. Comment donc se définit globalement le nationalisme d'Henri Bourassa? Il s'agit d'un nationalisme pancanadien, donc d'un nationalisme qui ne se confine pas au territoire du Québec: la patrie, comme l'écrira Bourassa, c'est le Canada. Ce nationalisme défend la nation canadienne telle qu'on la souhaitait en 1867, soit une nation canadienne bilingue et biculturelle qui comprend et respecte également les deux peuples fondateurs du pays dont, évidemment, les Canadiens français de partout au Canada avec leurs caractéristiques fondamentales que j'ai décrites plus tôt. Cette nation est aussi à tendance sociale conservatrice axée sur un développement économique modéré réalisé par et pour les Canadiens eux-mêmes. Mais il y a plus, et c'est très important dans la pensée nationaliste de Bourassa. Cette nation canadienne, partie alors de l'Empire britannique, doit progressivement se délester de son lien colonial, refuser toute fédération impériale et, enfin, s'affranchir de l'Angleterre et parvenir à l'indépendance, l'un des seuls moyens de réaliser tous les espoirs de la nation dont il désire tant le renforcement. Voilà, donc, le nationalisme de Bourassa et la définition de la nation canadienne qu'il propose. Mais je rappelle ceci: cette nation comprend aussi, et à part égale avec les Canadiens anglais, les Canadiens français pour lesquels Bourassa vise l'épanouissement tant au Québec qu'au Canada. Sur le plan purement culturel, vous notez que Bourassa rejoint certains des nationalismes décrits auparavant.

QUESTION: Mais comment la guerre des Boers jouait-elle contre l'expression du nationalisme canadien?

RÉPONSE: La guerre des Boers joue alors contre l'expression du nationalisme canadien de Bourassa parce qu'aux yeux de ce dernier, elle remet en cause la place du Canada au sein de l'Empire britannique et l'évolution de la nation canadienne vers un statut de nation indépendante. Et pour mieux comprendre la réaction de Bourassa, je dois vous parler tout de suite du type de nationalisme qui prévaut alors au Canada anglais et auquel se confrontera Bourassa au cours des premières décennies du XXe siècle. En gros, ce nationalisme affirme que la nation canadienne doit être avant tout britannique, unilingue anglaise, protestante et uniculturelle. Dans cet esprit, les Canadiens français, qu'on tolère au Québec, ne doivent pas imposer leur vue et leur nationalité à l'extérieur de cette province. Ce nationalisme, qui se veut en général socialement et économiquement assez progressiste, désire bien sûr l'épanouissement de la nation canadienne mais, pour lui, cet épanouissement passe, à ce stade-ci, par une acceptation des cadres de l'Empire britannique: plus le Canada sera lié à l'Empire, plus vite il deviendra assez puissant pour atteindre l'objectif qu'il vise aussi, soit celui de faire de la nation canadienne une nation pleine, entière et souveraine. En somme, ce nationalisme, qu'on qualifie d'impérialiste, se fonde sur le même objectif que celui d'Henri Bourassa, mais le moyen est différent: on croit que c'est en se collant à l'Empire, un Empire fort et solide que le Canada doit par ailleurs toujours soutenir, un Empire qui pourrait même devenir une fédération impériale, que le Canada a le plus de chance d'obtenir son indépendance.

Voilà donc en quoi consiste ce type de nationalisme du Canada anglais. Voilà donc, aussi, un type de nationalisme qui exerce une forte pression sur Laurier pour qu'il aide l'Angleterre dans sa guerre contre les Boers. Dans l'esprit de ce nationalisme, en agissant ainsi, le Canada contribue à renforcer l'Angleterre et l'Empire et, encore mieux, il montre sa propre force et il se consolide lui-même.

Évidemment, ce n'est pas l'avis de Bourassa. La participation du Canada à la guerre contre les Boers marque, pour lui, et je le répète, un recul dans le processus menant le pays au statut de nation indépendante, car il présente alors l'image d'une colonie soumise aux directives de l'Angleterre. En outre, cette participation est un précédent dangereux qui conduira le Canada à s'engager aux côtés de l'Angleterre dans les guerres futures. Ces arguments sont au cœur du nationalisme défendu par Bourassa et, pour rejoindre votre question, ils l'expriment d'emblée.

Je dois ajouter ici que Bourassa ne se gêne pas alors pour alerter la population canadienne contre la position de Laurier et contre l'idée impérialiste. Mais c'est en vain alors. C'est pourquoi Bourassa ne se gênera pas, non plus, pour appuyer, en 1903, la fondation de la Ligue nationaliste canadienne que des jeunes tels Olivar Asselin, Armand Lavergne, Jules Fournier et Omer Héroux mettent sur pied pour défendre leurs idées. À partir de ces années assez turbulentes, Henri Bourassa devient la figure dominante du nationalisme au Québec et il le demeurera certainement jusqu'en 1920.

QUESTION: *À cette époque, Laurier, un Canadien français, est premier ministre du Canada. N'est-il pas déchiré entre les tendances profondes qu'il remarque chez les siens du Canada français et sa volonté de diriger… d'être le premier ministre de tout un pays où se trouvent des anglophones en plus grand nombre?*

RÉPONSE: Je dirai ici que Laurier sera déchiré toute sa vie à ce sujet. Et toute sa vie durant, il affirmera que lui, un Canadien français, n'aurait jamais dû être chef d'un parti fédéral du Canada, ce pays si complexe et si difficile à conduire. De fait, Laurier est très préoccupé par les positions divergentes des deux peuples fondateurs sur tant de questions fondamentales. Mais ces positions divergentes, il cherchera toujours à les comprendre. Prenons, par exemple, le cas des Canadiens français et de leurs aspirations nationalistes au sein du Canada. Laurier les comprend d'autant mieux qu'il avait lui-même été un adversaire acharné de la Confédération canadienne entre 1864 et 1867. Il a alors écrit des pages pathétiques à cet égard dont celle qui identifie la Confédération au tombeau de la nation canadienne-française. Bien sûr, par la suite, et compte tenu de circonstances diverses, il s'est rallié à la Confédération. Mais une personne qui a déjà pensé ainsi et qui a écrit de telles pages saisit clairement les vues nationalistes qu'expriment alors ses compatriotes. Ceux-ci, au surplus, lorsqu'il devient premier ministre du Canada en 1896, ont dans l'ensemble confiance en lui. Rappelez-vous que Laurier est le premier Canadien français à devenir premier ministre du pays. Laurier, évidemment, sait très bien alors ce qu'il représente pour les Canadiens français: un sentiment de fierté, un sentiment aussi de revanche sur la défaite de 1759-1760. Il sait de plus que les tenants de la plupart des types de nationalismes qui existent au Québec, sauf bien sûr celui de Tardivel qui le qualifie de traître à sa race, sont très heureux de le voir ainsi à la tête du gouvernement. Laurier sait tout cela et il s'en réjouit énormément. Et, conséquemment, il ne veut pas les décevoir.

Mais Laurier reconnaît ceci par-dessus tout lorsqu'il devient premier ministre: il est premier ministre de tout le pays, de tous les Canadiens, et non pas uniquement des Canadiens français, non pas seulement de ceux qui veulent l'épanouissement de la nation canadienne-française. Il est le premier ministre aussi des Canadiens anglais et de leur type de nationalisme dont j'ai parlé il y a un instant. Dès lors, Laurier sait qu'il devra, au-delà de ses propres idées, arbitrer les différends entre les divers types de nationalismes du pays et, spécialement après 1900, entre les deux principales tendances dont j'ai discuté plus tôt. Pris entre ces deux groupes, Laurier affirmera choisir le juste milieu. Mais il s'agit, selon moi, d'un équilibre bien difficile à atteindre, d'un juste milieu qui penchera trop souvent du côté de la majorité canadienne-anglaise. Et les exemples sont frappants à cet égard au cours du règne de Laurier à la tête du pays, qui s'étend de 1896 à 1911.

QUESTION: *Justement, parlons un peu de ces cas: les écoles au Manitoba, en Ontario, la guerre des Boers; Laurier a-t-il eu tendance à adopter une politique pancanadienne ou à protéger en même temps les intérêts politiques et sociaux des Canadiens français?*

RÉPONSE: Je répondrai à cette question en revenant d'abord brièvement sur le sens de la réponse précédente. Laurier a toujours dit ceci que je cite de mémoire: «Je veux m'inscrire au centre de toutes les positions politiques exprimées dans le pays. Chef du gouvernement du Canada, je dois faire appel à l'esprit de tolérance, à l'esprit de compromis pour mieux réagir aux différentes pressions qui se font sur moi et mieux atteindre l'unité nationale, l'objectif premier de ma carrière politique, cette unité de la nation canadienne, une nation bilingue et biculturelle qui obtiendra un jour, au moment opportun et lorsqu'elle sera vraiment prête, son indépendance de l'Angleterre.» Conséquemment, Laurier entretient un nationalisme pancanadien que je, et qu'il, qualifie de centre comme je l'ai mentionné il y a un instant. Il résistera toujours, dira-t-il, aux idées d'un Canada purement britannique à tendance impérialiste, comme il résistera toujours, affirmera-t-il aussi, aux idées de Bourassa lesquelles, selon lui, bousculent trop les traditions de la majorité canadienne-anglaise. Au terme, conclura-t-il, l'idéal réside dans mes choix politiques de compromis tels ceux que j'ai émis lors de l'affaire des écoles du Manitoba, de l'affaire des écoles de l'Alberta et de la Saskatchewan, de la guerre des Boers, etc. En agissant ainsi, précisera-t-il en plus à l'intention des Canadiens français, c'est le caractère biculturel de la nation, ce sont vos droits et vous-mêmes que je protège à court et à long termes. Si un jour ces droits devaient être attaqués au Québec même, ces compromis serviront de façon péremptoire à votre défense.

QUESTION: *Mais les protégeait-il ou était-il contre?*

RÉPONSE: J'arrive à cette réponse, à la réponse de l'historien qui doit toujours se munir de la compréhension de l'époque et des acteurs engagés dans ces questions. Dans tous les cas que j'ai énumérés, bien sûr, Laurier n'est pas contre les Canadiens français catholiques et il espère sincèrement les protéger. Mais Laurier est aussi un homme de pouvoir, de gouvernement, et il est chef d'un parti politique où dominent les Canadiens anglais. Il doit composer avec ces réalités, comme il doit composer avec la situation tendue de ce pays où s'expriment tant les divisions ethniques. En fin de compte, selon moi, son souci de compromis à tout prix, ses ambiguïtés constantes, son opportunisme politique le portent à aller à l'encontre de sa propre version du nationalisme canadien dont j'ai parlé précédemment, à pratiquement ruiner les rêves du dualisme canadien inscrit dans la Constitution de 1867 et auquel il croit, à faire accepter une vision tronquée de la nation canadienne, celle de la majorité canadienne-anglaise que, de la sorte, Laurier a habituée à toujours remporter les batailles liées à la définition de la nation canadienne. Laurier n'est donc pas, selon moi, contre les Canadiens français du Québec et les Canadiens français hors Québec, mais il ne les protège pas suffisamment à court et à long termes, quoi qu'il en dise. Ses compromis, qui sont autant de reculs sur reculs, mènent à la stratégie des petits pas dans la bonne direction et conduiront, plus près de nous, à la stratégie politique fédérale des années 1980 et 1982 avec les conséquences qu'on connaît.

Prenons l'exemple des écoles séparées de l'Alberta et de la Saskatchewan dont je n'ai pas encore parlé et qui est crucial dans l'histoire du Canada et de la nation canadienne. Au moment où Laurier crée deux nouvelles provinces dans l'Ouest en 1905, soit l'Alberta et la Saskatchewan, au moment où il est lui-même prêt à accorder à la minorité catholique des deux provinces le droit aux écoles séparées et qu'il présente, de fait, un projet de loi en ce sens aux Communes, la majorité protestante canadienne-anglaise fait un tel tollé qu'elle l'oblige à revenir sur sa décision, à changer de position aux Communes et à accepter un autre compromis boiteux qui limite considérablement le droit à l'existence d'écoles séparées dans les deux provinces. «C'est pour sauver au moins le *statu quo*», écrira Laurier confidentiellement. C'est peut-être vrai. Mais imaginons un instant que le premier projet de Laurier ait été entériné parce qu'il aurait, jusqu'au bout, fait valoir sa volonté politique. Imaginons les chances enfin données au dualisme pensé en 1867 de se réaliser en bonne partie, imaginons seulement un instant ce que pourrait être l'Ouest canadien actuel. Mais tel n'est pas le cas, et c'est pourquoi cette question qui surgit en 1905 est si importante. Laurier s'est alors pour ainsi dire rallié à la canadianisation de l'Ouest selon la méthode et les vues canadiennes-anglaises. L'année 1905, c'est l'achèvement du cycle d'épreuves des minorités catholiques hors Québec. C'est la dernière chance ratée de façonner à long terme un pays vraiment biculturel.

QUESTION: *Et pourtant, un peu plus tard, quand il deviendra chef de l'opposition et qu'on arrivera à la conscription de 1917, Laurier a changé de position. Laurier ne s'est-il pas opposé à la conscription en 1917?*

RÉPONSE: Oui, Laurier, chef de l'opposition, refuse la conscription militaire des Canadiens en 1917 et il donne alors la nette impression de se rallier enfin à une position défendue par les Canadiens français. Mais pour bien comprendre la réaction de Laurier sur la conscription de 1917, il faut revenir sur ce qu'il pense de l'évolution des liens du Canada avec l'Empire britannique et connaître quelques faits marquants des années 1909 à 1917. Au sujet des relations entre le Canada et l'Empire britannique, la pensée de Laurier se résume ainsi: il souhaite qu'un jour donné, au moment jugé opportun, le Canada devienne indépendant de l'Empire, mais qu'entre-temps, ce pays résiste aux assauts impérialistes, profite de toutes les circonstances pour faire évoluer son statut de nation dans cet Empire sur lequel il faut aussi et malgré tout veiller à ce stade-ci, tout en maintenant l'unité nationale si essentielle à l'évolution recherchée. C'est dans cet esprit que Laurier met sur pied, en 1910, sa fameuse marine de guerre, alors que l'Angleterre se dit menacée par l'Allemagne. Il affirme alors qu'il fait obstacle aux impérialistes excessifs qui désirent offrir à la mère patrie ainsi défiée une aide abusive, sans toutefois succomber aux pressions des nationalistes d'Henri Bourassa qui ne croient pas au danger allemand et qui s'en remettent à rien de moins que le *statu quo*; il ajoute que cette marine permet au Canada de faire un pas de plus vers son statut de nation pleine et entière, car elle montre que le pays peut contribuer à sa propre défense, qu'il en a vraiment les moyens, et ce tout en soutenant à sa façon l'Empire britannique, un soutien qui se veut équilibré et acceptable dans les circonstances.

C'est aussi dans cet esprit que Laurier aborde la participation canadienne à la guerre de 1914-1918. En 1914, vous savez, la très grande majorité des Canadiens, et Laurier, bien sûr, appuient la participation volontaire des Canadiens à la guerre pour aider l'Angleterre et la France, les deux mères patries, à combattre l'Allemagne. Même Henri Bourassa est d'accord alors avec la participation, dans la mesure des moyens du pays. Au Québec, l'enthousiasme à cet égard est aussi grand qu'à Toronto. Mais, comme vous le savez aussi, la guerre se prolonge bien après 1914 et, avec ce prolongement, viennent les problèmes de divers ordres, économiques bien sûr, mais aussi ceux liés au recrutement de soldats disponibles pour cette guerre qui n'en finit plus et qui exige davantage de renforts outre-mer. C'est là que se pose la question, non pas de la participation en elle-même, mais du degré de participation du Canada à la guerre et précisément en 1917, la question se résume ainsi: le Canada doit-il aller jusqu'à la conscription militaire de ses citoyens pour aider l'Angleterre et les Alliés à gagner la guerre? La majorité des Canadiens anglais, plus impérialistes, répondent par l'affirmative, tandis que la majorité des Canadiens français, Henri Bourassa et ses nationalistes en tête, répliquent par la négative. Le premier ministre Borden, lui, se rallie aux vœux de la majorité canadienne-anglaise et présente, à l'été de 1917, un projet de loi en ce sens. Laurier, se joignant cette fois-ci à la majorité canadienne-française, refuse la conscription. Pourquoi? Parce que Laurier, fondamentalement homme de tolérance, n'est pas disposé à accepter d'emblée une telle idée de conscription. Cette notion d'obligation lui répugne ici d'autant plus que la conscription, inspirée du courant impérialiste, brisera l'unité nationale qui lui est si chère, car les Canadiens français s'opposent vigoureusement à la mesure. Laurier estime donc qu'un tel appui à l'Empire risque non pas de renforcer la nation canadienne, mais de la déchirer de l'intérieur. Conséquemment, il considère qu'en cette circonstance, ce sont les Canadiens anglais qui doivent faire leur part dans le compromis historique qu'il recherche, et ce compromis passe par un référendum pancanadien sur cette si dramatique question. Et Laurier, péremptoirement, déclarera ceci, que je cite de mémoire: «Si, par référendum, la majorité des Canadiens réclament la conscription, dès lors je l'accepterai car telle sera la volonté du peuple.» Voilà la position de Laurier en 1917. Une position, d'ailleurs, qu'appuiera Henri Bourassa avec éclat, une position qui conduira le nationalisme respectif de ces deux hommes publics à se rejoindre enfin.

QUESTION: *Mais il n'y a pas eu de référendum?*

RÉPONSE: Il n'y a pas de référendum alors. Et pourquoi? Parce que Robert Laird Borden privilégie le type de nationalisme impérialiste qui compte sur la conscription à tout prix, et imposée le plus tôt possible, pour aider davantage l'Empire. Il estime à son tour que cette conscription et cette contribution remarquable à la défense de l'Empire permettront au Canada d'être reconnu plus rapidement comme nation pleine et entière et il minimise les dangers relatifs à l'unité nationale. Se sachant soutenu par la majorité canadienne-anglaise, Borden refuse donc le référendum et préfère plutôt faire un geste unique dans l'histoire de la Confédération, soit mettre sur pied un gouvernement d'Union composé de conservateurs et de libéraux favorables à la conscription dont l'objectif est simple: tout mettre en œuvre pour que l'obligation d'aller combattre outre-mer soit réussie. Ce gouvernement d'Union, formé le 12 octobre 1917, comprend deux conservateurs canadiens-français du Québec, Albert Sévigny et Pierre-Édouard Blondin, qui, à partir de cette date, n'auront pas la vie facile au Québec.

QUESTION: *Quel a été le rôle de cette conscription dans l'affirmation nationaliste au Québec?*

RÉPONSE: Je peux vous assurer que la conscription joue un rôle majeur dans l'affirmation nationaliste au Québec. Avec la conscription, les tensions entre le Canada anglais et le Québec atteignent leur paroxysme. Précisément, et je me permets de répéter ce que j'ai souligné précédemment, les Canadiens français veulent protéger leur nation canadienne-française et leur conception du Canada, mais cette conception entre en contradiction avec celle de la majorité canadienne-anglaise. Or c'est ici, avec la conscription de 1917-1918, que le choc est brutal et, j'ajouterai, le plus brutal à cet égard. C'est à ce moment que s'affrontent avec le plus de véhémence et le plus dramatiquement possible ces deux conceptions du Canada. C'est alors que plusieurs Canadiens français semblent comprendre la distance qui les sépare des Canadiens anglais de qui il n'y aurait que bien peu à attendre quant à leur propre avenir et à leur place au sein du Canada.

QUESTION: *Les Canadiens français croyaient au Canada et pensaient que les Canadiens anglais croyaient encore à l'Angleterre?*

RÉPONSE: Je dirais oui, la réalité m'apparaît telle. Certes, les Canadiens français espèrent quand même que les Canadiens anglais en viennent à croire tout autant qu'eux à la conception du Canada qu'ils privilégient. Mais réaffirmons qu'alors le doute est des plus grands chez plusieurs Canadiens français.

QUESTION: *Et les morts, les affrontements, qu'il y a eus dans les rues de Québec par exemple, ont-ils eu des répercussions à ce moment-là?*

RÉPONSE: Ces événements, qui se déroulent au printemps de 1918, ont des répercussions, évidemment, compte tenu du caractère dramatique de ces terribles journées. Mais je considère que l'effet majeur et les tensions extrêmes au niveau du Québec se perçoivent surtout à l'été de 1917 lorsque la conscription est discutée, puis acceptée par votes aux Communes d'Ottawa. Ces votes, faut-il le préciser, sont révélateurs des remous énormes qui secouent le pays, qui coupent littéralement le pays en deux: d'un côté, les députés canadiens-français votent contre la conscription; de l'autre, les députés canadiens-anglais appuient la conscription. Les discussions vives des députés fédéraux, évidemment, ne sont que l'écho des paroles acerbes, agressives et amères véhiculées tant au Québec qu'au Canada anglais. Les mots de traîtres au pays circulent à qui mieux mieux. Au Québec, chauffé à blanc contre la conscription qu'on maudit de partout, les paroles cèdent à plusieurs reprises la place aux coups, à la violence. À ce moment-là, le climat est des plus alarmants dans plusieurs régions de la province où, une fois de plus, mais combien pathétiquement, les gens reconnaissent l'implacable division du pays. L'historien Desmond Morton, qui a déjà écrit que la Grande Guerre avait produit le Canada des deux nations, devait certainement penser alors à ces mois étouffants de l'été de 1917. C'est au cours de ces mois longs et pénibles que les Canadiens français doivent davantage prendre conscience que le Canada auquel ils croient semble bien difficile à faire partager par les partenaires de 1867. J'estime que c'est à partir de ce moment-là que doivent prendre forme les premiers balbutiements de ce qui deviendra la motion Francœur dont je vous parlerai dans quelques instants.

QUESTION: Quel a été l'effet au Québec de ce déchirement politique, à la suite de l'élection de 1917 dont on a dit qu'elle était une élection «kaki»?

RÉPONSE: Parlons d'abord quelque peu de cette élection fédérale de 1917, l'une des élections les plus importantes de l'histoire de la Confédération, une élection qui concrétise de façon spectaculaire le déchirement du pays selon les lignes ethniques dont je viens de vous entretenir. Pour en transmettre l'atmosphère au Québec où les libéraux de Laurier, alliés aux nationalistes de Bourassa, affrontent les candidats unionistes, c'est-à-dire ceux du gouvernement d'Union de Borden, rappelons simplement les mots mêmes d'un journaliste de l'époque: il s'agit d'une campagne à huis clos. En effet, les candidats unionistes ne peuvent presque pas faire campagne au Québec et, quand ils s'y risquent, c'est au péril même de leur vie, tant la population est montée contre tous ceux qui appuient la conscription. Dans mes recherches, j'ai étudié cette élection de 1917 et, en particulier, le cas d'un des ministres canadiens-français de Borden, soit Albert Sévigny. Ce candidat unioniste vit alors des moments terribles et terrifiants. La seule assemblée politique qu'il tente de tenir dans sa circonscription de Dorchester tourne au drame et il faillit se faire tuer par une foule déchaînée. Des tentatives de meurtre par empoisonnement ou des assauts contre sa maison à coups de pierres ajoutent à sa tragédie. Cet homme traverse des heures excessivement difficiles, et il n'est pas le seul candidat unioniste à subir un tel sort. Partout au Québec, les Canadiens français sont irrités et ils s'en prennent férocement à tous ceux qui s'opposent à Laurier, leur sauveur.

Que dire aussi des résultats de cette élection de 1917, sinon qu'ils démontrent que les Canadiens français sont encore une fois isolés dans la Confédération canadienne. Au Québec, les Canadiens français élisent 62 députés libéraux sur 65, ce qui laisse seulement 3 députés unionistes, tous trois élus dans des circonscriptions anglophones. Au Canada anglais, Borden accueille 150 députés contre 20 pour Laurier battu à plate couture. Jamais, depuis l'époque de Lord Durham, le Canada n'aura été aussi partagé selon les lignes culturelles. Et Henri Bourassa conclut: aucun Canadien français ne devrait faire partie du cabinet Borden, donc ne devrait faire partie du gouvernement du Canada.

C'est à ce moment que se pointe la fameuse motion Francœur, une motion qui exprime l'amertume des Canadiens français du Québec. Joseph-Napoléon Francœur est député de la circonscription de Lotbinière à l'Assemblée législative du Québec. Exaspéré par l'attitude de la majorité canadienne-anglaise et frappé par les résultats des dernières élections fédérales, il annonce à l'Assemblée législative, le 21 décembre 1917, le dépôt d'une motion qui se résume ainsi: si les Canadiens anglais estiment que les Canadiens français sont devenus un obstacle au développement du pays, «cette Chambre est d'avis que la province de Québec serait disposée à accepter la rupture du pacte fédératif de 1867». Il s'agit bel et bien d'une motion à tendance séparatiste en provenance des rangs mêmes du premier ministre libéral Lomer Gouin. Ce n'est pas peu dire. Cette motion, discutée à partir du 17 janvier 1918 à l'Assemblée législative, sera retirée toutefois par son auteur avant que les députés ne se prononcent par vote. La motion ne va donc pas très loin dans ce milieu parlementaire fédéraliste et elle reste plutôt symbolique. Mais elle fait quand même sensation alors. Elle permet d'évacuer dans l'ordre le trop-plein de tensions accumulées depuis des mois. Elle permet surtout de constater l'ampleur du ressentiment canadien-français, l'ampleur du fossé qui sépare les deux nations et leurs visions nationalistes. Ce qui se cache derrière la motion Francœur, c'est tout ce dont j'ai discuté avec vous aujourd'hui, monsieur Gougeon, ce sont les luttes de 1885, de 1890, de 1896, de 1899, de 1910, de 1912, de 1917, ces luttes menées en vain par les Canadiens français catholiques. À partir de cette date commence véritablement le repli des Canadiens français dans la forteresse même du Québec, là où ils devront désormais travailler à la défense de la nation canadienne-française.

QUESTION: *Comment pourriez-vous qualifier le nationalisme que vous venez de nous décrire à partir de Tardivel jusqu'aux années vingt? Comment qualifiez-vous le nationalisme au Canada français?*

RÉPONSE: D'abord, permettez-moi de préciser une donnée de base: il n'y a pas, au cours de cette longue période, qu'un seul type de nationalisme canadien-français, mais bien plusieurs types de nationalismes canadiens-français qui, ensemble, façonnent l'histoire du nationalisme au Canada français.

Quelles sont donc les principales formes de cette expression nationaliste? En résumé, disons qu'en 1867 se manifeste le nationalisme que je qualifie à la fois de politique et de culturel. Il s'agit d'un nationalisme de collaboration avec la majorité canadienne-anglaise et de compromis proposé par les hommes politiques, défenseurs des caractéristiques de la nation canadienne nouvellement créée et de la nation canadienne-française que soutient tantôt une idéologie sociale conservatrice, tantôt une idéologie sociale plus libérale. Ce nationalisme durera au moins toute la période qui nous intéresse ici et il prendra différentes teintes qui appuieront soit telles caractéristiques données du Canada et du Québec, soit telle définition des deux nations, soit telle autre. Si ce nationalisme aux tendances diverses a remporté des succès, les échecs qu'il a connus au cours des années l'ennuient énormément et conduisent, à la fin, les leaders des différentes tendances à se rejoindre dans leur déception provoquée par les réactions du partenaire canadien-anglais. Des hommes publics tels Wilfrid Laurier et Henri Bourassa, si opposés à certains niveaux, mais au centre de ce type de nationalisme multiforme, apparaissent très désabusés en 1918.

À côté de ce nationalisme se façonne un autre type de nationalisme, un nationalisme culturel et conservateur qui dure aussi toute la période que nous considérons ici. Ce nationalisme prend lui-même différentes formes mais, en gros, on peut affirmer qu'il défend les principales caractéristiques de la nation canadienne-française; position à laquelle il joint une idéologie sociale conservatrice. Ce nationalisme, il faut bien le préciser, est axé, bien sûr, sur la survivance de la nation canadienne-française, mais il garde bien présent cet autre objectif, soit celui de la reconquête pacifique des territoires perdus.

Dans cette entrevue, j'ai discuté surtout du nationalisme de Jules-Paul Tardivel qui, de par son nationalisme ultramontain, s'inscrit dans ce nationalisme culturel et conservateur. Mais j'ai montré aussi comment il s'en distingue, soit par l'aspect politique qu'il privilégie, à savoir la séparation du Québec du reste du Canada. Le nationalisme séparatiste de Tardivel est marginal à l'époque mais, après 1920, il inspirera quelque peu des leaders nationalistes qui se laisseront tenter par quelques-unes de ses visées.

Il faut convenir d'une réalité: c'est l'ensemble des différentes facettes de ces divers types de nationalismes qui forme l'expression nationaliste canadienne-française entre 1867 et 1920. Et j'ajouterai ceci: quand les années 1917-1918 se referment sur elles-mêmes, elles laissent bien peu de solutions aux divers nationalismes purement canadiens-français. En fait, elles n'en laissent qu'une seule: le repli sur le Québec, là où il faut désormais faire la lutte si on veut défendre de façon appropriée la nation canadienne-française. Et, faut-il le préciser, l'expression nationaliste purement canadienne-française va s'y retrancher pour bien longtemps.

BIBLIOGRAPHIE SOMMAIRE

BÉLANGER, Réal, *Wilfrid Laurier. Quand la politique devient passion*, Québec et Montréal, Les Presses de l'Université Laval et les Entreprises Radio-Canada, 1987.

BÉLANGER, Réal, «Le nationalisme ultramontain: le cas de Jules-Paul Tardivel», dans N. Voisine et J. Hamelin (dir.), *Les ultramontains canadiens-français*, Montréal, Boréal Express, 1985, p. 267-303.

LEVITT, Joseph, *Henri Bourassa and The Golden Calf. The Social Program of the Nationalists of Québec 1900-1914*, Ottawa, Ottawa University Press, 1969.

NEATBY, M. Blair, *Laurier and a Liberal Quebec*, Toronto, McClelland and Stewart, 1973.

SAVARD, Pierre, *Jules-Paul Tardivel, La France et les États-Unis 1851-1905*, Québec, PUL, 1967.

SÉGUIN, Maurice, *L'idée d'indépendance au Québec. Genèse et historique*, Trois-Rivières, Boréal Express, 1968.

TROFIMENKOFF, Susan Mann, *Visions nationales. Une histoire du Québec*, Montréal, Trécarré, 1986.

Troisième partie

La troisième émission nous fait découvrir comment, de 1920 à 1960, les «Canadiens» deviennent des «Canadiens français» qui se replient sur le Québec pour survivre comme peuple et comme nation. Inspirés par Lionel Groulx, ils cherchent à s'affirmer, dans ces années de crise économique, en cherchant une troisième voie entre le capitalisme et le socialisme. Sous Maurice Duplessis, le Québec apprend à dire non à Ottawa de plus en plus centralisateur. Avec la Deuxième Guerre mondiale, la conscription fera renaître les vieux démons nationalistes qui montrent des excroissances fascisantes.

Les historiens interviewés sont Pierre Trépanier, ainsi que Robert Comeau et Richard Desrosiers.

Entrevue avec Pierre Trépanier

QUESTION: *Monsieur Trépanier, si vous voulez bien, d'abord je voudrais que vous commentiez l'importance que le chanoine Groulx accordait à la jeunesse. Il a semblé avoir dirigé la majorité de ses écrits et de ses discours vers les jeunes. Quelle était l'importance de la jeunesse pour le chanoine Groulx?*

RÉPONSE: Comme le chanoine Groulx tentait de mettre au point une doctrine nationaliste pour éclairer l'action au service de la nation, il a eu à poser très tôt le problème du politique. Mais il a abordé la politique à sa façon à lui, c'est-à-dire en éducateur et en moraliste. Je veux dire par là que la politique, pour lui, c'était d'abord une question d'hommes. La qualité des hommes importait plus que les structures constitutionnelles, que l'architecture politique. Par conséquent, il allait d'instinct vers la jeunesse. La jeunesse était en effet l'espoir d'un renouveau, l'espoir d'une action créatrice, tandis que les gens en place, les notables installés, pour lui, c'était la routine, c'était l'ornière, et au bout de la routine, dans son esprit, il y avait, en un sens, la déchéance.

QUESTION: *Mais à cette époque, n'y avait-il pas une espèce de mobilisation politique chez les jeunes, qui permettait de croire à un certain renouvellement? Fallait-il vraiment fouetter la jeunesse pour qu'elle s'intéresse au politique, comme vous dites?*

RÉPONSE: Il y avait en effet des mouvements de jeunesse, et Groulx d'ailleurs avait contribué à en fonder certains, par exemple l'Action catholique de la Jeunesse canadienne-française. Il y avait aussi la Ligue nationaliste canadienne, autour d'Olivar Asselin, de Fournier, un de ses élèves, et d'autres. Mais ce que Groulx voulait faire, c'était les éclairer, leur donner une doctrine pour leur permettre de mettre au point un plan d'action, pour leur éviter de se lancer dans l'action sans préparation. Groulx croyait que la pensée, que la réflexion devait précéder l'action et l'éclairer, et il voulait entraîner les jeunes dans ce sens-là. La conception des choses de Groulx est très volontariste. C'est ce qu'il faut comprendre. Il croit que les hommes peuvent changer leur situation. Par conséquent, il croit qu'on peut modifier les cadres, et qu'on peut même modifier les hommes, si on sait bien les former. D'où la nécessité, dans son projet, de former une élite nouvelle. Et pour former une élite nouvelle, aussi bien s'adresser directement aux jeunes, parce que c'est de cette façon qu'on peut prendre le problème à la base, en quelque sorte. Le désir de Groulx était d'amener le Canada français à faire preuve d'un peu d'audace, et aussi d'un peu de suite dans les idées, et il lui semblait plus facile, à cette fin, de s'adresser aux jeunes que de s'adresser aux notables qui dirigeaient la société canadienne-française et qui, dans l'ensemble, le décevaient.

QUESTION: *Vous dites qu'il voulait former l'élite, qu'il s'adressait à l'élite. Quelle importance faut-il accorder à cette notion de l'élite à l'époque, dans ce contexte où Groulx faisait son action sociale et politique?*

RÉPONSE: L'élite, pour lui, c'est le moteur de la société. Comme à peu près tous les gens de son milieu, les éducateurs des collèges classiques, le clergé en général, et je dirais l'ensemble des intellectuels de l'époque, on croyait que le changement se faisait par l'élite et que la décadence aussi se faisait par l'élite. Donc, en axant les efforts de ce côté, on pouvait espérer atteindre ses objectifs.

QUESTION: *Groulx a été un prédicateur. Il était prêtre et il a prêché sa parole nationaliste. Mais il ne semblait pas y avoir chez Groulx un projet politique bien articulé. Par exemple, avait-il une conception moderne de l'État? Quel rôle voyait-il l'État jouer dans le déroulement de la vie politique quotidienne?*

RÉPONSE: Le but de Groulx, c'était l'affirmation nationale des Canadiens français. Alors, l'un des moyens pour atteindre cette affirmation nationale, c'était la formation d'élites nouvelles, comme on vient de le dire. L'autre moyen — et c'est peut-être cela la principale contribution de Groulx au débat —, c'est l'insistance qu'il a mise sur le rôle de l'État dans l'affirmation nationale. Qu'est-ce que c'est que l'affirmation nationale pour Groulx? C'est en quelque sorte la neutralisation des effets néfastes ou des effets pervers de la «conquête». Et pour réussir cette neutralisation, il fallait, pour ainsi dire, nationaliser l'État, c'est-à-dire mettre l'État, en l'occurrence l'État provincial du Québec, au service de ce que Groulx appelait l'intégrité française. L'intégrité française, ça veut dire, en somme, pour la collectivité canadienne-française, une vie pleine et riche, au lieu de la vie diminuée, pour ainsi dire infirme, à laquelle le Canada français était condamné depuis la Conquête. Alors l'État, dans ce programme d'action, est essentiel. Et c'est une des grandes contributions de Groulx d'avoir attiré l'attention de ses contemporains sur l'importance de l'État.

QUESTION: *Mais à cette époque — bon, aujourd'hui c'est peut-être un peu difficile à comprendre puisque l'État est partout dans nos vies, et s'est insinué partout, surtout depuis 1960 — mais pouvez-vous me décrire un peu le rôle de l'État dans ce contexte, puisque Groulx voulait lui donner un rôle différent. Que faisait l'État à l'époque? Il ne jouait pas un rôle important comme aujourd'hui?*

RÉPONSE: Non, l'État n'était pas engagé dans tous les secteurs de la vie sociale, comme aujourd'hui, bien que depuis le tournant du siècle, l'État multipliait les initiatives dans le domaine de l'éducation tout comme, mais de façon plus modeste, dans le domaine social. Mais l'État n'était pas engagé dans la gestion quotidienne de la société et de l'économie comme aujourd'hui. Groulx voulait justement que l'État intervienne davantage, parce qu'il voyait dans l'État un moyen puissant, le seul d'ailleurs sur lequel pouvaient compter les Canadiens français, au point de vue des institutions publiques, pour atteindre l'objectif de l'affirmation nationale. Cette idée de servir la nation ou de promouvoir l'affirmation nationale par le rôle de l'État, Groulx l'avait synthétisée dans une formule. Cette formule, c'était l'État français. Alors là se pose le problème de ce que Groulx entendait par l'État français. Dans la mesure où l'État français est synonyme de service de l'intégrité française, on peut

QUESTION: *Mais à cette époque, n'y avait-il pas une espèce de mobilisation politique chez les jeunes, qui permettait de croire à un certain renouvellement? Fallait-il vraiment fouetter la jeunesse pour qu'elle s'intéresse au politique, comme vous dites?*

RÉPONSE: Il y avait en effet des mouvements de jeunesse, et Groulx d'ailleurs avait contribué à en fonder certains, par exemple l'Action catholique de la Jeunesse canadienne-française. Il y avait aussi la Ligue nationaliste canadienne, autour d'Olivar Asselin, de Fournier, un de ses élèves, et d'autres. Mais ce que Groulx voulait faire, c'était les éclairer, leur donner une doctrine pour leur permettre de mettre au point un plan d'action, pour leur éviter de se lancer dans l'action sans préparation. Groulx croyait que la pensée, que la réflexion devait précéder l'action et l'éclairer, et il voulait entraîner les jeunes dans ce sens-là. La conception des choses de Groulx est très volontariste. C'est ce qu'il faut comprendre. Il croit que les hommes peuvent changer leur situation. Par conséquent, il croit qu'on peut modifier les cadres, et qu'on peut même modifier les hommes, si on sait bien les former. D'où la nécessité, dans son projet, de former une élite nouvelle. Et pour former une élite nouvelle, aussi bien s'adresser directement aux jeunes, parce que c'est de cette façon qu'on peut prendre le problème à la base, en quelque sorte. Le désir de Groulx était d'amener le Canada français à faire preuve d'un peu d'audace, et aussi d'un peu de suite dans les idées, et il lui semblait plus facile, à cette fin, de s'adresser aux jeunes que de s'adresser aux notables qui dirigeaient la société canadienne-française et qui, dans l'ensemble, le décevaient.

QUESTION: *Vous dites qu'il voulait former l'élite, qu'il s'adressait à l'élite. Quelle importance faut-il accorder à cette notion de l'élite à l'époque, dans ce contexte où Groulx faisait son action sociale et politique?*

RÉPONSE: L'élite, pour lui, c'est le moteur de la société. Comme à peu près tous les gens de son milieu, les éducateurs des collèges classiques, le clergé en général, et je dirais l'ensemble des intellectuels de l'époque, on croyait que le changement se faisait par l'élite et que la décadence aussi se faisait par l'élite. Donc, en axant les efforts de ce côté, on pouvait espérer atteindre ses objectifs.

QUESTION: *Groulx a été un prédicateur. Il était prêtre et il a prêché sa parole nationaliste. Mais il ne semblait pas y avoir chez Groulx un projet politique bien articulé. Par exemple, avait-il une conception moderne de l'État? Quel rôle voyait-il l'État jouer dans le déroulement de la vie politique quotidienne?*

RÉPONSE: Le but de Groulx, c'était l'affirmation nationale des Canadiens français. Alors, l'un des moyens pour atteindre cette affirmation nationale, c'était la formation d'élites nouvelles, comme on vient de le dire. L'autre moyen — et c'est peut-être cela la principale contribution de Groulx au débat —, c'est l'insistance qu'il a mise sur le rôle de l'État dans l'affirmation nationale. Qu'est-ce que c'est que l'affirmation nationale pour Groulx? C'est en quelque sorte la neutralisation des effets néfastes ou des effets pervers de la «conquête». Et pour réussir cette neutralisation, il fallait, pour ainsi dire, nationaliser l'État, c'est-à-dire mettre l'État, en l'occurrence l'État provincial du Québec, au service de ce que Groulx appelait l'intégrité française. L'intégrité française, ça veut dire, en somme, pour la collectivité canadienne-

dire que Groulx n'a jamais varié. En ce sens, à toutes les étapes de sa carrière, son idée de l'État français est restée la même. C'est quand il essayait de préciser la forme constitutionnelle concrète que devait prendre cet État français, qu'il aimait évoquer dans ses grands discours, qu'il se mettait à hésiter. Il faudrait peut-être passer en revue les différentes étapes de la carrière de Groulx. À défaut, on pourrait dire en gros que dans les années vingt et vers la fin de sa vie, il était plus réceptif à l'idée de l'indépendance, mais que globalement, son État français, il espérait pouvoir l'édifier à l'intérieur du cadre de la Confédération.

QUESTION: *Donc, quand il parle d'autonomie provinciale, il parle d'une autonomie à l'intérieur du cadre confédératif. Il n'est pas contre Ottawa, il n'est pas contre l'État tel qu'il existe depuis 1867.*

RÉPONSE: C'est-à-dire qu'il n'est pas contre le fédéralisme canadien dans la mesure où le caractère binational de ce dernier est respecté.

QUESTION: *Groulx sait très bien que l'État français ne peut pas exister à la grandeur du pays. Donc voit-il un État français, le Québec, pour parler clairement, qui se détache peu à peu ou qui s'isole des décisions politiques du reste du pays, ou... le voit-il se développer à l'intérieur de la Confédération?*

RÉPONSE: Pour Groulx, l'État français est réalisable à l'intérieur de la Confédération, pourvu que deux conditions soient réalisées. La première, c'est que la province de Québec et son gouvernement exercent dans toute leur plénitude, avec audace, avec imagination, l'ensemble des pouvoirs qui leur sont conférés par la Constitution de 1867. Mais l'autre condition, c'est que d'abord les partenaires canadiens-anglais acceptent cette idée de l'intégrité française, lui donnent droit de cité au Canada, et ensuite qu'ils acceptent d'entrer dans ce partenariat binational auquel Groulx pensait. Si l'une ou l'autre de ces conditions manquait, il fallait envisager la possibilité de réaliser l'État français hors de la Confédération. Alors vous voyez que, de ce point de vue-là, la pensée de Groulx — dans la mesure où l'édification de l'État français pouvait être envisageable dans le cadre confédératif — se rapproche de celle d'Henri Bourassa.

QUESTION: *Mais Henri Bourassa lui-même avait été déçu, à la fin de sa vie politique. Il ne croyait plus que le Canada français pouvait se réaliser à l'intérieur de la Confédération. Groulx a-t-il repris le flambeau de l'espoir à l'intérieur du pays?... Comment étaient reçues, dans le reste du pays, les idées de Groulx?*

RÉPONSE: Les idées de Groulx au Canada anglais étaient très mal reçues. On le considérait comme un extrémiste, avec tout ce que ça peut comporter de jugement péjoratif. Certains le considéraient même comme un raciste. Groulx n'était pas entendu du reste du Canada. Son message ne passait pas. Il passait auprès de la population canadienne-française, surtout dans la jeunesse, chez certains hommes politiques, mais même là c'était encore minoritaire. Groulx, c'est un peu, si vous voulez, une espèce de prophète, un éveilleur, un animateur, mais on ne peut pas dire qu'il réussissait à entraîner derrière lui de vastes contingents de la population. Son influence immédiate était plus limitée. Et au Canada anglais, on lui opposait une fin de non-recevoir.

QUESTION: *Parlons un peu du prêtre qu'il était. Aujourd'hui, c'est difficile d'imaginer quelqu'un qui fait une jonction aussi importante entre la religion, la langue et l'État. Quelle était l'importance de cette foi catholique, chrétienne, chez Groulx, dans son action nationaliste?*

RÉPONSE: C'est une des clés pour comprendre Groulx. Il faut se rappeler que Groulx est non seulement un croyant, mais aussi un prêtre. Il y avait, chez lui, une attention au facteur religieux, d'abord on pourrait dire en sociologue ou en historien. Il reconnaissait que, au berceau du Canada français, il y avait la France et l'Église catholique. Alors pour lui, le catholicisme faisait partie de l'identité nationale du Canadien français ou du Canada français. Mais cette constatation de sociologue ou d'historien est loin d'épuiser la réalité de la religion chez Groulx. Pour lui, la religion, c'est la valeur suprême. Dans l'échelle des valeurs, la religion est au sommet. Groulx était convaincu que Dieu était maître de l'Histoire. Par conséquent, la religion, c'est plus qu'un simple facteur parmi d'autres. La religion, c'est ce qui éclaire le reste. La religion, c'est un peu la norme. Et on peut dire que la religion a servi de balises au nationalisme de Groulx. Groulx a toujours voulu situer son nationalisme dans l'orthodoxie catholique, et c'est par rapport à l'enseignement des papes, par exemple, qu'il a essayé de définir sa pensée et qu'il a essayé de la maintenir dans la ligne de l'orthodoxie. La religion a aussi une autre importance dans la pensée de Groulx, c'est qu'elle s'épanouit dans une idée, celle de la mission du Canada français. Cette idée de mission, Groulx ne l'a pas inventée. Il l'a reçue de ses maîtres, pour ainsi dire, les intellectuels qui l'avaient précédé. Mais c'est peut-être celui, parmi nos intellectuels, qui l'a exprimée avec le plus de conviction et qui en a fait un idéal particulièrement séduisant pour les esprits qui, comme Groulx, sont croyants.

QUESTION: *Un mot du nationalisme économique de Groulx, parce que, même s'il était prêtre et historien, il s'est beaucoup intéressé à l'économie. Il a même enseigné à l'École des hautes études commerciales. Quelle importance accordait-il vraiment à l'économie et au nationalisme économique?*

RÉPONSE: Alors j'ai dit que le nationalisme de Groulx avait une dimension religieuse, une dimension spirituelle, mais ce n'était pas un nationalisme désincarné. Au contraire. De tous les nationalistes de son temps, Groulx est parmi ceux qui ont le mieux compris l'importance de l'économie, des facteurs matériels, non seulement dans le sens de l'affirmation nationale, mais aussi du point de vue de la mission catholique. Il faut réunir des conditions minimales de prospérité économique pour que la nation canadienne-française puisse s'épanouir et remplir son rôle. Alors, pour Groulx, la question économique se présente sous l'angle d'une reconquête à tenter. La reconquête de l'économie canadienne-française. Groulx était absolument atterré de voir le Canada français s'enfoncer dans la prolétarisation, parce qu'il assistait évidemment à l'urbanisation massive et rapide du Canada français à son époque. Et dans les conditions qui étaient celles du Canada français alors, cette urbanisation et cette industrialisation ne pouvaient se faire qu'au prix de sa prolétarisation. Alors son programme de reconquête économique est un peu à l'image de son programme d'affirmation politique. D'une part, il veut former des hommes. Donc former des compétences. D'où le désir de voir l'enseignement se développer, en particulier l'enseignement scientifique, technique, commercial supérieur. Il tient à avoir une classe d'entrepreneurs canadiens-français, des entrepreneurs audacieux qui ont à cœur non seulement de réussir individuellement en affaires, mais, encore, tout en réussissant, de rester des patriotes, donc de continuer à contribuer à l'affirmation nationale. Il comptait aussi sur l'État. Parce que les forces contre lesquelles les Canadiens français devaient lutter étaient extrêmement puissantes. C'était le grand capital, qu'il soit canadien anglais, britannique ou, et de plus en plus, américain. Donc il comptait sur l'État pour coordonner une action, ou plutôt je dirais une réaction, à cette présence massive du capitalisme, américain en particulier. Il ne s'agissait pas, dans son esprit, de lancer l'État dans un vaste projet ou programme d'étatisation. Lionel Groulx n'était pas socialiste, loin de là. Il était partisan de la propriété privée, de l'initiative privée. Mais il admettait dans certains secteurs, comme l'hydro-électricité, une intervention de l'État, qui, dans certains cas, pouvait aller jusqu'à l'étatisation. Le rôle de l'État, il le voyait surtout comme un rôle de coordonnateur, de guide. Il voyait aussi l'intervention de l'État dans le cadre de ses fonctions de veiller à la bonne marche globale de la société, ce qui voulait dire contrôler au besoin les capitaux étrangers, ce qui voulait dire aussi moraliser, en quelque sorte, la vie industrielle, le travail en usine. Le programme économique de Groulx se complétait donc de préoccupations sociales.

QUESTION: *Il aurait été aujourd'hui plutôt social-démocrate, dirait-on.*

RÉPONSE: Non, je ne dirais pas qu'il aurait été social-démocrate parce que l'importance de la responsabilité individuelle comme idée de base dans son système de pensée était trop grande pour qu'il aille carrément du côté de la social-démocratie. Groulx est toujours resté attaché à une idée fondamentale, ce qu'on appelle la doctrine sociale de l'Église, et au principe de la subsidiarité qui en est le cœur, c'est-à-dire qu'il faut laisser aux paliers inférieurs de la société leurs responsabilités. Les individus, les familles, les corps intermédiaires, les régions doivent assumer leurs responsabilités, et l'État ne doit se charger que de cette partie des tâches que les paliers inférieurs ne peuvent eux-mêmes assumer. Donc une fonction essentiellement de suppléance ou d'aide, si vous voulez, aux paliers inférieurs. La social-démocratie, telle qu'on la connaît aujourd'hui, mise trop sur l'intervention de l'État, même au quotidien, pour que l'idée de subsidiarité puisse coexister avec l'État social-démocrate. Alors je ne crois pas que Groulx serait allé aussi loin.

QUESTION: *Vous soulignez l'importance que Groulx accordait à la religion, à la foi. Comment a-t-il réagi face aux premiers signes de la Révolution tranquille alors que s'articule une remise en question de la foi et du rôle de l'Église à l'intérieur des structures de la société québécoise?*

RÉPONSE: L'importance qu'accorde Groulx à la religion explique justement son ambivalence face à la Révolution tranquille. D'une part, il se réjouissait de l'affirmation nationale inhérente à la Révolution tranquille. Et à cet égard, Groulx ne pouvait que se féliciter de voir une partie de son programme se réaliser devant ses yeux. En revanche, l'autre aspect de la Révolution tranquille, ce qu'il aurait appelé l'apostasie collective, c'est-à-dire la perte du caractère confessionnel, la laïcisation, de la société, pour lui c'était une véritable tragédie. À la fin de sa vie, il était comme torturé par cette dimension de la Révolution tranquille, parce que, pour lui, dans cette évolution, le Canada français perdait quelque chose d'essentiel. Il faut se rappeler que sa définition du Canada français, sa conception de l'identité canadienne-française était à la fois française et catholique. Donc il lui semblait que tout un pan de l'identité canadienne-française était bradé du jour au lendemain, au profit de valeurs qu'il jugeait comme étant des valeurs matérialistes, donc étrangères à sa conception des choses et à sa conception de l'histoire, telle qu'il l'avait enseignée au cours de sa longue carrière à l'université.

QUESTION: *Groulx avait un sens de l'État, de la nation. Comment peut-on circonscrire cette idée de nation à l'époque où Groulx commence à parler de la nation? Qu'est-ce que c'est, la nation, pour Groulx?*

RÉPONSE: Pour Groulx, la nation c'est essentiellement une communauté historique de culture. Groulx n'a jamais cru que les caractères nationaux, du moins les caractères importants, ceux qui servent à fonder l'intégrité française dont j'ai parlé tout à l'heure, étaient transmissibles par le sang. Donc il n'y a pas chez Groulx une conception raciale de la nation. Groulx, d'ailleurs, n'épousait pas les idées racistes qui ont commencé à être très en vogue dans les années trente en Europe. Groulx n'a jamais cru à une supériorité raciale fixée génétiquement. Il croyait, cependant, comme la plupart des hommes de sa génération, qu'il y avait des civilisations supérieures à d'autres. Pas des races, mais des civilisations. Mais c'était une supériorité fondée sur l'effort, sur le mérite, sur les moyens matériels aussi mis à sa disposition. Alors, en ce sens, Groulx pouvait dire que la France du XVIIIe siècle représentait une civilisation supérieure à, disons, l'iroquoisie. Mais c'était une supériorité précaire, toujours guettée par la possibilité de la déchéance. Groulx était très conscient que les nations, les civilisations étaient mortelles. Donc la supériorité, pour lui, c'est une supériorité toujours de fait, et non pas de droit. C'est une supériorité toujours temporaire, toujours à maintenir, et non pas une supériorité qui serait donnée une fois pour toutes par la naissance, par la génétique et par le sang. En ce sens-là, Groulx n'est vraiment pas raciste.

QUESTION: *Mais à l'époque, Groulx parlait de la race canadienne-française. Que signifiait le mot «race», à cette époque?*

RÉPONSE: Le mot «race» se retrouve très fréquemment sous la plume de Groulx, sur ses lèvres, comme on le trouve d'ailleurs dans le discours d'à peu près tous ses contemporains. Le mot «race» alors veut simplement dire «nation, nationalité, groupe ethnique, communauté culturelle». Pour comprendre Groulx, il faut aussi tenir compte d'un fait, c'est que Groulx aimait la littérature. Il avait un style volontiers oratoire. Ses lectures l'avaient imprégné d'un certain vocabulaire; par exemple, il est un lecteur, plein d'admiration, de Barrès. Donc, pour des effets de littérature, il pouvait employer le mot «race» plus volontiers que des termes qui pouvaient paraître plus techniques à l'époque, par exemple celui de groupe ethnique ou celui de nation. Termes qu'il n'ignorait pas, mais il parlait comme on parlait à son époque, dans la plupart des milieux canadiens-français.

QUESTION: *Vous affirmez que Groulx n'était pas raciste. Pourtant, quand on lit maintenant des textes de l'époque, où il parle des Juifs, où il parle du sang, où il parle de sa crainte des mariages mixtes entre anglophones et francophones, on peut deviner là des propos à caractère raciste. Comment faut-il interpréter ces propos s'il n'était pas raciste?*

RÉPONSE: Je pense que pour répondre à cette question, il faut d'abord définir ce qu'est l'antisémitisme, parce que je suppose que, quand on emploie le terme antisémitisme, on l'emploie dans le sens qu'il a acquis au XXe siècle, c'est-à-dire comme une forme de racisme. Et tout de suite on évoque l'image de l'Allemagne nazie. C'est ce que j'appellerais l'antisémitisme de doctrine. Dans le système idéologique de l'antisémite de doctrine, l'antisémitisme occupe une place vraiment centrale. On peut dire que cette vision du monde, cette lecture de l'Histoire est structurée par l'antisémitisme. De sorte que si vous retirez l'antisémitisme de son système idéologique, le système risque de s'écrouler. Chez Groulx, on trouve des critiques, des mises en garde à l'égard de certains Juifs ou de certaines institutions juives. Critiques d'ailleurs qui sont peu fréquentes et qui, dans la masse de ses écrits, occupent une place bien modeste. Mais ces critiques-là, ces mises en garde sont périphériques, sont secondaires, marginales par rapport à son discours. Par conséquent, on ne peut pas dire que Groulx était un antisémite de doctrine. À son époque, à la fin des années vingt et au cours des années trente, au Canada français, à tort ou à raison, on a cru que la présence de plus en plus grande de Juifs dans la métropole, à Montréal donc, pouvait menacer le petit commerce et la petite entreprise canadienne-française. Alors il est arrivé à Groulx d'attirer l'attention des Canadiens français sur ce problème, et même, en quelque sorte, d'offrir la communauté juive en exemple aux Canadiens français pour les inviter à pratiquer eux aussi la solidarité économique. Mais je ne crois pas que ça suffise à en faire un antisémite raciste. Son attitude à l'égard des Juifs, toutes proportions gardées, sur le plan économique, c'est un peu la même attitude qu'il avait à l'égard du capitalisme américain, par exemple. C'est une réaction essentiellement défensive. Maintenant, on peut prendre le problème sous un autre angle et se demander si Groulx était un *historien* antisémite. Alors là, la réponse est carrément non, et c'est un non catégorique parce que les Juifs sont absents des écrits historiques de Groulx. On les trouve dans ses écrits polémiques, dans ses écrits politiques, si on veut, mais pas dans ses écrits historiques. Dans son histoire, Groulx parle des Français, des Anglais, des Américains, des Canadiens, et de Dieu, parce que Dieu est un personnage dans l'histoire de Groulx, telle qu'il la conçoit. Mais il ne parle pas des Juifs. Donc on ne peut pas dire que Groulx était un historien antisémite.

Il existe un dernier aspect qu'il faudrait aborder, que j'appellerais l'antijudaïsme. Et cet aspect se rattache à la religion chez Groulx. Traditionnellement, en pays chrétien, on a manifesté, à l'égard des Juifs, une méfiance. Méfiance qui était d'ailleurs réciproque, c'est-à-dire méfiance des chrétiens à l'égard des Juifs et inversement des Juifs à l'égard des chrétiens. Cette méfiance-là découle d'une opposition doctrinale essentielle, qui ne devient une simple divergence d'opinion que pour les indifférents. Mais pour le croyant chrétien, d'une part, le croyant juif, d'autre part, ce n'est pas une simple divergence d'opinion, c'est vraiment quelque chose de fondamental. Et cette divergence, c'est sur le Messie, c'est sur Jésus-Christ qu'elle porte. Alors, à partir de cette opposition sur un fait fondamental de ce qu'on pourrait appeler l'histoire sacrée s'est édifié tout un complexe psychologique et culturel de méfiance à l'égard du juif. Jusqu'à un certain point, Groulx a été influencé par son éducation, par sa culture catholique, et on peut trouver dans ses écrits certains relents de cette méfiance traditionnelle à l'égard des juifs. Mais ce n'est pas de l'antisémitisme au sens du XXe siècle, c'est-à-dire un antisémitisme raciste.

QUESTION: *En terminant, si je vous demandais de situer Groulx dans toute l'histoire de l'évolution du nationalisme, telle qu'on la regarde à partir de la fin du régime français jusqu'à aujourd'hui, comment qualifieriez-vous le rôle que Groulx a joué dans cette histoire du Québec, du Canada français? Qu'a-t-il été pour vous?*

RÉPONSE: Je dirais que Groulx a été le maître à penser qui a le mieux vu le rôle de l'État dans l'affirmation nationale. En ce sens, le nationalisme de Groulx est particulièrement moderne, beaucoup plus moderne que celui d'Henri Bourassa. D'autant qu'il n'avait pas, comme Henri Bourassa, le même attachement sentimental à l'égard de la Confédération. Il avait, pour le Canada, peut-on dire, un amour de raison. Je parle de Groulx. Un amour de raison. Tandis que dans le cas du Canada français, du Québec, c'était une véritable passion. De sorte qu'il a concentré ses efforts sur le Canada français et en particulier le Canada français de la région laurentienne, du territoire québécois. Cela l'a amené à définir la nation mieux que ne l'avaient fait ses prédécesseurs, non seulement par rapport à ses racines culturelles mais aussi, d'une part, par rapport à la patrie physique, c'est-à-dire le territoire, le territoire québécois en l'occurrence et, d'autre part, par rapport aux institutions politiques que les Canadiens français avaient édifiées sur ce territoire québécois. Et en ce sens, on peut dire que sa conception de l'affirmation nationale, de la nation, est moderne parce qu'elle intègre le politique et le territorial mieux que ne l'avaient fait ses prédécesseurs.

BIBLIOGRAPHIE SOMMAIRE

FRÉGAULT, Guy, *Lionel Groulx tel qu'en lui-même*, Montréal, Leméac, 1978.

GABOURY, Jean-Pierre, *Le nationalisme de Lionel Groulx. Aspects idéologiques*, Ottawa, Éditions de l'Université d'Ottawa, 1970.

ROBERT, Jean-Claude, *Du Canada français au Québec libre*, Paris, Flammarion, 1975.

Numéro spécial de la *Revue d'histoire de l'Amérique française*, vol. 32, nº 3 (décembre 1978); «Lionel Groulx, 1878-1978, 100e anniversaire de sa naissance.»

TROFIMENKOFF, Susan M., *Action française: French Canadian Nationalism in Quebec in the Twenties*, Toronto, University of Toronto Press, 1975.

Entrevue avec Robert Comeau

QUESTION: *Monsieur Comeau, je voudrais que l'on parle d'abord des années trente. Comment peut-on qualifier le nationalisme au Québec pendant ces années?*

RÉPONSE: Lors de la crise économique, il y a eu effectivement un regain de nationalisme; le nationalisme québécois s'est radicalisé. Il a pris diverses formes: le courant majoritaire n'était pas séparatiste, mais autonomiste et rattaché à un projet socio-économique très conservateur, s'inspirant de l'idéal corporatiste qu'il y avait en Europe du Sud, en particulier au Portugal de Salazar. Vers 1935 est même apparu un courant séparatiste d'extrême droite, favorable au fascisme et farouchement anticommuniste. Mais la tendance principale est plus modérément autonomiste et conservatrice, bien que l'idéal corporatiste ait séduit beaucoup l'intelligentsia québécoise de l'époque.

QUESTION: *Mais lorsqu'on est conservateur, cela signifie qu'on se protège, qu'on craint. Alors qu'est-ce qu'on craignait? Comment expliquer que ce nationalisme ait été si conservateur?*

RÉPONSE: Devant la détérioration des conditions de vie, un fort mouvement émerge, dénonçant la «dictature de monopoles» à l'origine de la crise. On conteste le désordre établi, on remet en question le libéralisme et la démocratie libérale. Cette contestation se faisant tant par la gauche (les socialistes et les communistes) que par la droite, les partisans de la troisième voie contestaient aussi violemment l'ordre établi.

Ces derniers disaient combattre tout autant la dictature des monopoles que le communisme. Ce qu'ils présentaient comme la troisième voie, le corporatisme, n'était pas réellement anticapitaliste, mais simplement un rejet des gros capitalistes étrangers. Cette droite nationaliste ne remettait pas en question les fondements de la propriété privée. Elle contestait le régime constitutionnel, la domination étrangère sur les plans politique et économique. Elle dénonçait la trahison des élites politiques fédéralistes qui ne trouvaient pas de solution au chômage. Les courants radicaux s'exprimaient dans une mouvance nationaliste qui s'inspirait beaucoup de l'abbé Groulx et du programme social des jésuites de l'École sociale populaire. Les disciples de Groulx lui vouaient un véritable culte. Ce «chef national» encourageait les jeunes nationalistes et les séparatistes canadiens-français des groupes comme les Jeunesses patriotes ou du journal *La Nation*. Il y avait au Québec, comme dans le reste du Canada, des manifestations d'intolérance et de racisme. Le Québec n'est pas étranger à ce mouvement, mais ce n'est pas propre au Québec. On assiste à cette même polarisation idéologique au Canada anglais.

QUESTION: *Accordait-on, par exemple, un grand intérêt à des gens comme Adrien Arcand et son groupe? Est-ce un phénomène marginal ou a-t-il eu une importance assez grande à l'époque?*

RÉPONSE: À mon avis, ce n'est pas ce groupe-là qui ralliait le plus de partisans au Québec. Parce qu'Adrien

Arcand, pro-hitlérien, avait fondé un parti fédéraliste qui préconisait l'unité canadienne et le rapprochement des catholiques et des protestants contre les juifs. Groulx et la majorité des nationalistes canadiens-français favorisaient plutôt les idées des fascistes de Mussolini, de Salazar et de Franco, qu'ils appelaient les «latins». Même Paul Bouchard, le leader séparatiste fasciste et corporatiste, combattait le fédéraliste Arcand. Il y avait plus de goupes pro-nazis au Canada anglais, en particulier en Ontario, à Toronto.

QUESTION: *Comment expliquer que les idées et les idéaux de Franco, Salazar et Mussolini aient eu autant de succès à cette époque?*

RÉPONSE: Il faut savoir que ces pays-là semblaient avoir trouvé une solution au chômage, à la crise économique. Par exemple, par la construction d'autoroutes, par l'industrie de l'armement. Pour sortir de la Crise, on souhaitait un État plus interventionniste et des leaders plus autoritaires, alors que les débats parlementaires semblaient peu efficaces. Enfin, un nouveau modèle était proposé qui s'opposait au modèle communiste. Dans le courant de la droite québécoise influencée par l'Église, les «corps intermédiaires» — groupes de pression catholiques — devaient jouer un rôle important au Québec. À cause de l'Église, on rejetait le communisme et on essayait de trouver une troisième voie entre le libéralisme discrédité et le modèle socialiste qui servait de repoussoir. Il y avait chez les intellectuels une révolte, une inquiétude profonde, une remise en question de l'idéologie du laisser-faire et du capitalisme de monopoles. Les nationalistes reprenaient les discours antitrusts, dans une sorte d'anticapitalisme de façade, qui empruntaient aux discours de l'extrême gauche. Par exemple, le jeune nationaliste Guy Frégault reprenait en 1934 les slogans d'une nécessaire «révolution nationale» des fascistes français. Le corporatisme, cette pseudo troisième voie, a exercé une grande influence chez les élites nationalistes, politiques, religieuses et même syndicales jusqu'à la Deuxième Guerre. L'abbé Groulx et des économistes comme F. A. Angers flirtaient avec cet idéal corporatiste qui était un idéal réactionnaire en ce sens qu'il proposait un impossible retour à l'époque des corporations du Moyen Âge où il n'y avait pas de conflit de classe entre le patron artisan et l'apprenti. Cet idéal de société de consensus, qui nie l'existence d'intérêts opposés et l'existence de classes antagonistes, est utopique. Même en Italie ce régime n'a pas été appliqué.

QUESTION: Justement, parlons de ce qui se passait au Canada à cette époque. Est-ce qu'il y avait un nationalisme canadien à l'époque, dans les années trente, et comment se manifestaient ces idées de droite au Canada?

RÉPONSE: Au Canada anglais, et à Toronto en particulier, vous aviez même des organisations, des mouvements carrément fascistes. Vous aviez aussi un parti nationaliste *canadian,* qui était lui-même d'extrême droite. On ne parle pas souvent au Québec de l'existence de ces groupes-là, mais ceux-ci ont été beaucoup mieux organisés, ont accueilli beaucoup plus de membres que l'organisation d'Adrien Arcand à Montréal. Il y a eu des manifestations de xénophobie, de racisme, à Toronto, et ceux qui étaient, par exemple, à la direction du ministère de l'Immigration à l'époque rendaient très difficile l'entrée de Juifs d'Allemagne au Canada. Et ce n'étaient pas des francophones qui géraient ce ministère! Il y avait à la tête du ministère de l'Immigration des gens carrément antisémites. Je pense à Skelton en particulier, mais il s'en trouvait plusieurs autres. Même des membres du gouvernement de Mackenzie King, dans la période qui précède la Deuxième Guerre mondiale, avaient des sympathies pour Hitler, le trouvaient très sympathique. On ne rappelle pas souvent cette période-là d'avant la Deuxième Guerre mondiale. En Ontario, des manifestations de répression à l'endroit des Juifs ou d'autres nationalités avaient lieu fréquemment. Je pense qu'il est nécessaire de dire que ce n'est pas seulement au Québec que ces formes de xénophobie se sont manifestées, comme on a l'habitude de le répéter.

QUESTION: *Est-ce que cette xénophobie existait aussi en dehors de l'Ontario, dans les provinces de l'Ouest?*

RÉPONSE: Dans l'Ouest aussi. Par exemple, il y a eu la répression contre les Japonais qui ont été placés dans des camps et internés durant cette période, ou encore, si on recule un peu plus loin dans le temps, la répression contre les Chinois qui venaient travailler pour les compagnies de chemin de fer. Il y avait vraiment, à leur égard, une répression très forte, du mépris et du racisme. Ça ne nous permet pas de dire que tout le peuple canadien anglais est raciste, mais il existait là aussi des groupes racistes. Par exemple, les premiers groupes du Ku Klux Klan ne sont pas nés au Québec. On en trouve depuis déjà 50 ans dans ces provinces-là. Il y a, par exemple, la ligue orangiste d'Ontario, anticatholique et antifrancophone, qui a lutté contre les Franco-Canadiens depuis le XIXe siècle. De ce point de vue, il y a eu beaucoup de racisme et de xénophobie à l'échelle du Canada durant les années trente. Pas principalement au Québec, mais partout, dans toutes les provinces du Canada.

BIBLIOGRAPHIE SOMMAIRE

ANCTIL, Pierre, *«Le Devoir», les Juifs et l'immigration. De Bourassa à Laurendeau*, Québec, IQRC, 1988.
COMEAU, Robert, *Les indépendantistes de «La Nation» 1936-1938*, Mémoire de maîtrise, Université de Montréal, 1971.

Entrevue avec Richard Desrosiers

QUESTION: *Monsieur Desrosiers, je voudrais d'abord qu'on commence par comprendre ce que Maurice Duplessis est venu faire en politique au début des années trente. Comment cet homme-là est-il apparu dans l'histoire du nationalisme québécois?*

RÉPONSE: Duplessis va d'abord se démarquer comme habile politicien, au milieu des années trente, alors que beaucoup de forces politiques se cherchent avec la crise économique et aussi la crise politique: le gouvernement libéral de Taschereau est vraiment rendu au bout de son rouleau. Alors Duplessis, qui est chef des conservateurs québécois depuis 1933, va réussir à regrouper un certain nombre de forces politiques: les conservateurs, les nationalistes, l'Action libérale nationale, formée de dissidents du Parti libéral, pour, semble-t-il, trouver une solution à la Crise, offrir des voies de changement. Certains disent même qu'un vent de révolution tranquille soufflait sur le Québec à ce moment-là, ce qui est tout à fait exagéré parce que Maurice Duplessis est d'abord et avant tout un conservateur. Mais, homme politique habile, il se fait entendre et présente une solution de rechange à un gouvernement libéral corrompu: Taschereau est vraiment fatigué, après 15 ans de pouvoir. Le nationalisme n'est pas très présent au début chez Duplessis. Il l'est chez les contestataires des années trente, qui réclament la nationalisation de l'électricité. Duplessis dira «Oui, oui, je suis d'accord avec vous», alors qu'il est encore avocat de la Shawinigan Water and Power! Duplessis va habilement ramasser les différents morceaux de contestation et former l'Union nationale. Comme récupération, c'est fantastique. Il va créer un nouveau parti en réunissant des vieux conservateurs, des nationalistes, des dissidents libéraux. Et c'est comme ça qu'il va s'imposer. Dans un moment de crise politique et économique, de crise de confiance face au gouvernement en place, il s'impose et prend le pouvoir. Mais en 1936, il est lui-même peu nationaliste, même s'il accueille des éléments nationalistes dans son parti. C'est plus tard, en fait en 1944, que Duplessis comprendra l'importance de jouer la carte nationaliste, la carte autonomiste.

QUESTION: *Quand on imagine la création de l'Union nationale à l'époque, on doit sans doute y voir un phénomène politique assez nouveau?*

RÉPONSE: Oui, parce que c'est le premier parti politique franchement québécois. Il y avait eu l'épisode d'Honoré Mercier: Honoré Mercier, dans la conjoncture de l'affaire Riel, avait réussi à regrouper des conservateurs et des libéraux, mais c'était très conjoncturel. La crise finie, Mercier disparu, on était revenu aux deux bons vieux partis. Et les conservateurs, comme les libéraux provinciaux, étaient toujours membres d'un grand parti fédéral.

QUESTION: *À l'époque, il n'existait pas de partis provinciaux?*

RÉPONSE: Non. Même dans le cas des libéraux provinciaux du Québec, c'est seulement en 1955 que Georges-Émile Lapalme va créer une fédération, une espèce de regroupement autonome à l'intérieur du grand Parti libéral du Canada, et c'est seulement au début des années soixante qu'on va créer le Parti libéral du Québec. Or Duplessis crée l'Union nationale dès 1936, un parti sans attaches fédérales. C'est le premier vrai parti profondément québécois, et ça, c'est un bon coup! Avec les vieux conservateurs! Remarquez, les conservateurs provinciaux vont disparaître au même moment, avec l'Action libérale nationale, qui, pourrait-on dire, est en fait un premier parti québécois, mais son existence sera éphémère. L'Action libérale nationale dure le temps de l'élection de 1935, puis est récupérée par l'Union nationale. Et ce parti va s'imposer, sans grand frère fédéral, sans chapeau fédéral. Duplessis, de ce côté-là, a l'avantage, avec l'Union nationale, de créer quelque chose de nouveau.

QUESTION: *À cette époque-là, au Québec, au cours des années 1930, 1935, 1938, comment se manifestait le nationalisme québécois?*

RÉPONSE: On est très influencé par le chanoine Groulx. C'est un nationalisme conservateur, qu'on a qualifié de traditionnel, où les valeurs de la foi, de la langue sont importantes, les traditions, notre histoire, notre maître le passé, disait le chanoine Groulx. La survivance est un thème encore majeur. Et Duplessis est tout à fait représentatif de ce discours dominant nationaliste, qu'il va reprendre sans y ajouter quoi que ce soit. Il reprend, «notre gouvernement est un bon gouvernement parce qu'il est catholique et français», il parle des traditions, de l'héritage important à conserver, des valeurs d'autorité, de famille. La terre, même: Duplessis a un fond de discours «agriculturiste» pour bien montrer qu'il adhère aux valeurs conservatrices de l'époque, où le clergé est présent, où la religion est importante. Dans ce sens-là, le discours des années trente, le discours nationaliste, est un discours conservateur, un discours qui s'appuie sur le passé, sur des notions de survivance, avec cette idée que la providence nous a mis ici pour répandre la foi catholique, que c'est notre rôle principal, que nous avons une mission. Ces choses ne sont pas nouvelles, mais Duplessis est le représentant parfait — le dernier — du nationalisme traditionnel, conservateur. Je dis le dernier parce que, à la fin des années cinquante, il s'essouffle. Et c'est le même discours dans les années trente, quarante et cinquante, la différence étant qu'il va y ajouter la notion d'autonomie provinciale après 1944. Il n'est pas autonomiste au sens propre du terme, à l'époque. Sur le plan constitutionnel, Duplessis croit à 1867, croit au fédéralisme, et on aurait tort de penser que Duplessis était séparatiste, mais pas du tout! Au contraire, les quelques fois qu'il y fait allusion, c'est avec dédain, dégoût, mépris. Duplessis croit à 1867, croit à la Confédération canadienne, croit au pacte confédératif. C'est une bonne affaire pour les Québécois, pour la province, selon sa définition du nationalisme, s'appuyant sur la tradition, la foi, la langue…

QUESTION: *Mais comment expliquer que Duplessis, s'il croyait au fédéralisme de 1867, ait autant attaqué Ottawa?*

RÉPONSE: Selon lui, c'est Ottawa qui vient modifier les règles du jeu, surtout avec la guerre et durant l'après-guerre. Duplessis estime que la Confédération canadienne est menacée par les visées centralisatrices d'Ottawa. Il a raison, en partie. Il a raison en ce sens que, depuis la Deuxième Guerre mondiale, Ottawa a compris qu'il fallait que l'État fédéral se développe: politiques d'intervention économique, politiques sociales, bref l'État-providence, le *welfare state*. Les libéraux fédéraux ont compris le keynésianisme, le *new deal*, et ils vont de l'avant en créant un État plus moderne. Dans les années quarante et cinquante, le budget de l'État fédéral est multiplié par 10, par 20. C'est fantastique! On est agressif du côté d'Ottawa. Et les provinces sont relativement d'accord. Pendant la guerre, on laisse tomber l'impôt provincial sur le revenu. Puis, on laisse le fédéral implanter différentes mesures sociales, pensions de vieillesse, allocations familiales. Dans les années cinquante, un plan général d'assurance-hospitalisation reçoit même un accueil favorable de la part des neuf autres provinces canadiennes. Mais du côté québécois, cette montée de l'État-providence pancanadien vient heurter l'autonomie provinciale. Effectivement, le social, le culturel, l'éducation, c'est de compétence provinciale. Un plan d'assurance-hospitalisation fédéral, ça n'a pas de sens par rapport à 1867. Alors Duplessis a donc raison de dénoncer les tentatives centralisatrices. Mais Ottawa ne veut pas centraliser pour le plaisir de centraliser, bien que certains en aient ainsi conclu. Ce n'est pas par sentiment anti-québécois qu'Ottawa agit ainsi. Ottawa agit ainsi parce qu'il veut créer un État-providence, moderne. Pour ce faire, Ottawa est... «obligé» d'envahir des champs de compétence provinciale. C'est pourquoi Duplessis est sur ses gardes et va crier à la défense de «notre butin»: seules les provinces ont le droit de s'occuper du social! Il revient aux communautés religieuses de s'occuper de la santé et de l'éducation. Ce qui peut nous amener à penser que Duplessis s'oppose à Ottawa et est autonomiste non seulement par nationalisme, mais aussi par conservatisme. Parce qu'on sait, par ailleurs — fieffé conservateur qu'il était —, que Duplessis n'aime pas le rôle accru de l'État dans le social, dans l'éducation...

QUESTION: *Il dit non à quoi, Duplessis?*

RÉPONSE: Avant de répondre, je pourrais formuler cette opposition autrement. Duplessis craignait énormément la montée de l'État dans les affaires économiques, dans les affaires sociales. Il craignait qu'au Québec ne se mettent en place une assurance-hospitalisation ainsi qu'un ministère de l'Éducation. Il est contre, politiquement, idéologiquement.

QUESTION: *Pourquoi?*

RÉPONSE: Pourquoi l'élite tout entière, depuis le milieu du XIXe siècle, depuis l'échec des Patriotes, craint-elle l'État? À la fois parce que l'Église est omniprésente et joue un rôle moteur dans cette répugnance que les hommes politiques ont développée face à l'État, parce qu'on ne voit pas qu'en s'appuyant sur le collectif, comme les nationalistes le découvriront plus tard, on peut aller de l'avant. C'est un discours traditionnel qui n'a pas été inventé par Duplessis. Et Pierre Elliott Trudeau, les gens de *Cité libre,* avaient raison, jusqu'à un certain point, quand ils établissaient une adéquation entre le nationalisme et le conservatisme chez Duplessis. Il est vrai que Duplessis s'opposait à Ottawa tant par nationalisme que par conservatisme. Là-dessus, ils avaient raison. Mais de là à penser que tout nationalisme est conservateur, c'est là où, je pense, *Cité libre* et Pierre Elliott Trudeau se sont trompés. Mais là, c'est une autre question. Pour revenir à Duplessis, celui-ci donc ne voulait pas voir l'État envahir des champs sociaux, économiques, etc. Comme le fédéral prend l'initiative, alors il dit non, non, non. Mais avec le recul, on se rend compte que — et là je rejoins votre question — ça consistait à dire non: non aux allocations familiales, non à l'assurance-chômage. Heureusement qu'il a fait un séjour dans l'opposition de 1939 à 1944, sans cela je ne sais pas ce qui serait arrivé. Non à un plan d'assurance-hospitalisation. Aussi, durant les années cinquante, les Québécois étaient les seuls à ne pas bénéficier d'un tel programme, contrairement aux autres citoyens canadiens, et pourtant, ils payaient comme eux des impôts pour cela. La première mesure que va prendre le gouvernement Lesage, c'est d'instaurer un plan d'assurance-hospitalisation québécois. Non à une régie des loyers. Non à la construction d'une autoroute transcanadienne — mais ça, c'était peut-être pour sauver les pratiques de favoritisme de l'Union nationale. Non, enfin, aux subventions fédérales aux universités. Chaque fois que le fédéral prenait une initiative, le gouvernement Duplessis disait non. Mais c'était négatif dans le sens où il n'y avait jamais de contrepartie québécoise. Ce n'était pas: «Non aux subventions fédérales aux universités, mais je vais donner plus d'argent aux universités.» Il ne donnait pas d'argent aux universités. «Non à un plan d'assurance-hospitalisation fédéral, mais j'en crée un québécois.» Il n'en a jamais instauré parce qu'il n'en voulait pas. Il ne croyait pas à ce genre de mesures ou d'initiatives de la part de l'État. C'est pourquoi, avec le recul, les nationalistes, qui s'étaient au début reconnus en lui, ont fini par dire: «Ma foi, il ne fait que dire non.» Ainsi *Le Devoir,* qui était en quelque sorte coincé entre l'appui au nationalisme et le désaveu des politiques sociales de Duplessis — le journal, par exemple, avait appuyé les grévistes de l'amiante —, a été lent, comme les nationalistes de la Société Saint-Jean-Baptiste de Montréal, à comprendre comment Duplessis était certes nationaliste, mais qu'il ne contribuait pas à bâtir quelque chose de concret pour le Québec. Duplessis disait non. D'ailleurs, Lesage, qui n'a jamais voulu s'avouer autonomiste, qui s'estimait profondément fédéraliste — si on lui avait dit «Vous êtes autonomiste comme M. Duplessis», il aurait répondu «Non, non, non» —, a été dans les faits plus autonomiste que Duplessis ne l'a jamais été. Lesage est allé nous chercher un programme d'assurance-hospitalisation québécois, un régime de pension québécois, a récupéré des points d'impôt, etc.

QUESTION: *Au début, lorsque Duplessis a pris le pouvoir, il y a eu un grand vent de libération; les gens ont dit: «Bon, on est débarrassés de Taschereau et de la corruption du Parti libéral.» Ensuite, les libéraux ont repris le pouvoir pendant la guerre. Revenons précisément à cette période de la guerre, à la période de la conscription. En 1942, il y a un plébiscite, et dans ce brouhaha, il y a émergence des nationalistes. Alors comment peut-on voir la dynamique nationaliste à l'intérieur de cette question du plébiscite de 1942?*

RÉPONSE: Les nationalistes des années trente — ils étaient un peu partout, à l'Action libérale nationale, dans la lutte contre les trusts, finalement dans l'Union nationale —, c'étaient des gens qui revendiquaient davantage de mesures de rapatriement sur le plan constitutionnel, davantage de mesures du genre «Maître chez nous» sur le plan économique — pensons à la lutte contre les trusts du Dr Philippe Hamel, qui voulait la nationalisation de l'électricité. Ces gens-là se voient plus ou moins récupérés par l'Union nationale. Au début, on n'en est pas conscient, quand Duplessis prend le pouvoir en 1936. C'est après une année ou deux qu'on se rend compte que Duplessis est un habile politicien, et que le rêve de changements ne se réalisera pas. Les nationalistes se retrouvent ainsi, juste au début de la guerre, fort déçus. Le Bloc populaire représentera pour eux un second souffle, une nouvelle base pour se rassembler, partir et effectivement défendre la nation québécoise.

Duplessis a perdu les élections en 1939, en grande partie parce que les libéraux fédéraux se sont livrés à une forme de chantage en disant: «Si vous n'élisez pas à Québec des libéraux, on ne garantit pas, nous, libéraux fédéraux, de vous défendre contre une éventuelle conscription.» Il y avait eu, lors de la Première Guerre mondiale, une conscription en 1917. Des élections avaient alors divisé le pays. L'armée avait dû intervenir à Québec pour forcer les conscrits. Les Québécois avaient de la conscription une image on ne peut plus négative. Cela avait été une mesure imposée par le fédéral. De plus, l'armée constituait une façon d'angliciser les Québécois, et les Québécois francophones se trouvaient les premiers sur les lignes de front durant la guerre. Bref, la conscription, on n'en voulait pas. Je suis sûr que ce chantage a été éfficace. C'est le ministre Ernest Lapointe, le ministre fédéral de la Justice sous Mackenzie King qui est venu faire campagne pour les libéraux provinciaux. Au point que c'est Ernest Lapointe et non Adélard Godbout qui dirigeait les libéraux, et qui a fait la campagne. Duplessis est alors sur la défensive. Duplessis a peur de la guerre. Duplessis doit faire censurer ses discours à la radio parce qu'on est en guerre. Du plus, Duplessis est alcoolique à l'époque, ce qui vient compliquer la gestion personnelle de sa vie politique. Bref, Duplessis perd les élections. Je pense que les Québécois ont misé libéral à nouveau, même si on avait à peine connu trois ans de régime Union nationale, pour éviter la conscription. Or, au bout de quelques années le gouvernement fédéral se rend compte qu'il manque d'hommes, qu'il manque de combattants, qu'il manque de soldats. C'est pourquoi Mackenzie King impose le plébiscite. En 1939, une promesse formelle avait été faite aux Québécois: pas de conscription, on va vous défendre contre la conscription si vous élisez un gouvernement provincial libéral; ce que les Québécois ont fait. Le gouvernement fédéral savait qu'il avait fait cette promesse; d'où le plébiscite. Regardez comme la question est subtile: «Acceptez-vous de délier le gouvernement fédéral de la promesse qu'il a faite de ne pas faire de conscription?» Mais cette promesse avait été faite aux Québécois. Le référendum, lui, est pancanadien. La ligue du «non» à la conscription, du «non» au référendum, s'organise et récupère tous les nationalistes des années trente, qui étaient entre autres partisans de l'Union nationale. Duplessis joue là-dessus très délicatement. Il n'a pas voulu se mêler directement de la lutte contre la conscription. En 1942, le plébiscite est tenu. Le Canada, dans son ensemble, dit oui à un peu plus de 60 p. 100. Mais si on regarde les chiffres, le Québec a dit non à 80 p. 100 et le reste du Canada a dit oui à 80 p. 100. C'est pourquoi il y a une majorité qui l'emporte en faveur du oui. Mais dans les faits, le Québec a dit non. Ce qui met le monde en maudit — permettez-moi l'expression —, c'est que ce soit le Canada anglais qui délie le gouvernement fédéral de la promesse qu'il a faite au Québec de ne pas imposer de conscription. Mackenzie King est quand même un habile politicien. Il procède par étapes. Il prend son temps. Il tient le référendum en 1942, et ce n'est qu'en 1944 qu'il impose la conscription. Ce qui donne le temps, hélas, au mouvement de s'essouffler. On a vu cela récemment:

M. Bourassa a gagné du temps jusqu'à ce que le mouvement d'après-Meech s'essouffle.

On a même parlé de «vote de race» tellement les gens s'estimaient lésés: le Canada anglais a voté d'un côté et le Canada français — aujourd'hui on dirait les Québécois — a voté de l'autre. Le mot race, à l'époque, était utilisé pour désigner en fait la nation. Mais c'était un vote vraiment coupé en deux, un vote «de race.» On a dit oui d'un côté et on a dit non de l'autre. D'où des tensions incroyables entre les deux communautés, entre les deux nations au Canada. C'est ainsi qu'est né le Bloc populaire. Les Québécois n'avaient plus de véhicule politique pour exprimer leur frustation, pas même au niveau provincial, avec le gouvernement Godbout, lui aussi libéral, véritable marionnette entre les mains du gouvernement fédéral. C'est pourquoi les gens ont milité dans le Bloc populaire.

Question: De qui s'agit-il?

Réponse: Il s'agit des nationalistes dont on a parlé tantôt, ceux de l'Action libérale nationale, de René Chaloux, de ceux qui étaient contre les trusts... Mais il y a aussi une nouvelle génération de jeunes qui ont grandi sous l'influence du chanoine Groulx, comme André Laurendeau qui avait milité dans les organisations étudiantes du chanoine dans les années trente. Il y a le maire — pardon — le futur maire Drapeau; il y a Michel Chartrand... En fait, tous les gens qui se sont opposés à la conscription, de quelque horizon politique, de droite ou de gauche, qu'ils soient, se sont rassemblés dans le Bloc populaire.

QUESTION: *Et quel a été l'influence politique du Bloc populaire?*

RÉPONSE: C'est difficile de bâtir un parti sur un tel événement de conjoncture. C'est difficile de maintenir un parti dans un tel contexte, surtout quand vous avez côte à côte Michel Chartrand, Jean Drapeau et André Laurendeau, les disciples du chanoine Groulx et les vieux conservateurs, quand vous avez essentiellement comme facteur de cohésion le nationalisme et le «non» à la conscription. Le Bloc populaire a éprouvé très tôt des difficultés à définir son programme, à cause des tensions entre son chef Laurendeau et les argentiers, tel Maxime Raymond, un riche de l'époque, etc. De plus, le Bloc populaire a été pris dans le jeu des élections à deux niveaux, fédéral et provincial, et c'est le provincial qui s'est présenté en premier.

C'est un peu étrange, quand on y pense, parce que c'était un contexte de politique fédérale, c'était une crise fédérale. Le Bloc populaire a le vent dans les voiles: des sondages lui prédisent 20, 30, 35 p. 100 du vote populaire. Tout d'abord, ce sont les élections provinciales, alors on se présente. Il est facile, avec le recul, de dire que s'ils avaient gardé leur énergie pour les élections fédérales qui venaient quelques mois plus tard, peut-être le résultat aurait-il été différent. Au niveau fédéral, c'est le vide total. Mais au provincial, Duplessis est toujours là, l'Union nationale est toujours là. En fait, la présence du Bloc populaire aux élections provinciales de 1944 fait revenir l'Union nationale au pouvoir...

QUESTION: *En grugeant le vote des libéraux...*

RÉPONSE: En grugeant le vote des libéraux! Avec de 35 à 36 p. 100 des votes seulement, l'Union nationale prend le pouvoir avec 48 députés, alors que les libéraux provinciaux ont près de 39 p. 100 des votes. Soit 4 à 5 p. 100 de moins au suffrage universel, mais une majorité de députés. Le Bloc populaire, avec 16 p. 100 des votes, fait élire seulement 4 députés; il ne détient même pas la balance du pouvoir. Dans les faits, il a fait basculer le gouvernement. C'est arrivé d'ailleurs deux fois dans l'histoire du Québec. Le RIN (Rassemblement pour l'indépendance nationale) a fait la même chose à Jean Lesage en 1966. On enlève des votes au parti au pouvoir et c'est finalement l'autre parti, qui obtient moins de voix mais plus de sièges, qui l'emporte.

QUESTION: *Donc, en 1944, Duplessis reprend le pouvoir et il y restera jusqu'en 1959. Est-ce que c'est le même Duplessis qu'on avait connu au départ? Comment va-t-il évoluer, Duplessis, dans son nationalisme? Va-t-il continuer à toujours dire «Non, non, non», ou fera-t-il aussi des choses positives?*

RÉPONSE: Je dirais d'abord que, dans un premier temps, Duplessis exploite en quelque sorte le nationalisme. Le mot est peut-être fort, mais je pense qu'il se sert du nationalisme à des fins électorales. Il se rend compte que Godbout, battu en 1944, et rebattu en 1948, est une proie facile: c'est une marionnette des libéraux fédéraux. Ça vaut la peine, finalement, de se gagner des avantages politiques avec cette idée. En 1948, après les élections provinciales, marquées par un balayage de l'Union nationale, il ne reste qu'une poignée de députés libéraux en Chambre, des anglophones du West Island, dirigés par un chef intérimaire, George Marler. Duplessis a alors beau jeu de montrer que les libéraux sont contre le Québec, qu'ils ont vendu le Québec, qu'ils ont fait la conscription... Tout passe sur le dos des libéraux, fédéraux comme provinciaux. Alors que lui, Duplessis, défend le Québec. L'utilisation du nationalisme et de l'autonomisme à des fins électorales est énorme. Ce qui ne veut pas dire que Duplessis — et là, il faut rendre à César ce qui est à César — ne fait qu'utiliser le nationalisme et l'autonomie provinciale à des fins électorales. Il a quand même accompli un certain nombre de choses, dont la plus importante, pour les gouvernements des années soixante: la création d'un impôt provincial sur le revenu. C'est un coup de force qu'il réussit en 1954 contre Louis Saint-Laurent. C'est important parce que le gouvernement provincial libéral de Godbout avait cédé tous les champs de taxation au fédéral, à cause de la guerre. La guerre terminée, le gouvernement fédéral ne voulait pas retourner le tout aux provinces, et les autres provinces canadiennes se laissaient convaincre, se laissaient acheter par des subsides. Finalement, le Québec se retrouve seul, avec l'Ontario, et à la fin le seul, à résister. C'est alors que Duplessis réussit un coup de force, en créant un impôt provincial, quitte à établir une double imposition. Pour le gouvernement Lesage et pour tous les gouvernements à venir, pouvoir jouir de l'autodétermination budgétaire, avoir le droit de lever ses propres impôts, cela sera extrêmement important. C'est là un geste indéniablement fleurdelisé positif. Il y a aussi le drapeau qui est aujourd'hui un symbole, qui est utilisé par l'ensemble des milieux nationalistes et indépendantistes. On l'a vu lors des récents défilés de la Saint-Jean-Baptiste. Le drapeau québécois est devenu un symbole d'identité important. En 1948, Duplessis, alors que plusieurs mouvements réclamaient depuis longtemps un drapeau, Duplessis, donc, par arrêté ministériel — il lui a fallu quelque temps avant qu'il puisse faire ratifier cette mesure par une loi —, décrète que le fleurdelisé sera le drapeau des Québécois. Avec le recul, avec ce qu'on voit aujourd'hui, force est de constater que là aussi il a fait un bon coup. La création de Radio-Québec est aussi une mesure intéressante, bien que cela demeure sur papier seulement. Il fallait montrer qu'on pouvait le faire parce que la Constitution le permettait. Dans les faits, Radio-Québec n'existera concrètement que vers la fin des années soixante.

QUESTION: *Pendant que Duplessis règne, l'Église a-t-elle continué de jouer le même genre de rôle qu'elle a joué depuis les rébellions de 1837-1838? L'Église a-t-elle toujours le même rôle?*

RÉPONSE: Oui. Jusqu'à la Révolution tranquille, jusqu'aux années soixante, l'Église est une force sociale et politique dominante extrêmement importante au Québec. Elle contrôle toujours le système d'éducation, donc les élites passent entre ses mains. Les collèges classiques sont les lieux privilégiés où sont formés nos politiciens. L'école primaire, secondaire, tout le système d'éducation est entre les mains de l'Église. L'Église entretient des rapports étroits, directs même, avec les gouvernements, quels qu'ils aient été. Si les rapports évoluent, c'est que Duplessis est peut-être plus habile. Plutôt que ce soit l'Église qui contrôle le gouvernement, c'est maintenant Duplessis qui cherche à contrôler l'Église. Duplessis disait que les monseigneurs mangeaient dans sa main. Ainsi, il a fait longtemps patienter Mgr Charbonneau dans l'antichambre de son bureau au Parlement.

QUESTION: *Mais comment Duplessis utilisait-il l'Église sur les plans politique, social et économique? Quel rôle faisait-il jouer à l'Église?*

RÉPONSE: L'Église a été, jusqu'aux années soixante, une force sociale importante. Tout est encadré, dans les villes comme dans les campagnes, par l'Église. Mes premiers dépôts bancaires ont été faits en classe, quand tel ou tel frère nous a fait remplir un bordereau de dépôt dans une caisse populaire. Ça passait par les frères des Écoles chrétiennes ou par d'autres communautés religieuses. L'Église était présente partout. La Saint-Vincent-de-Paul, la Caisse populaire, toutes les organisations d'aide sociale, etc., sont installées dans le presbytère ou à côté du presbytère. D'ailleurs, toutes les Caisses populaires sont encore situées à proximité de l'église. L'Église a réussi, par la paroisse, par ses œuvres sociales, à encadrer la population. Donc elle exerce un contrôle total. Duplessis, comme les hommes politiques avant lui, savait qu'il devait s'appuyer sur l'Église. Alors, il va s'appuyer sur les mêmes valeurs, sur ce même groupe social, pour poursuivre sa politique.

Sa politique est une politique de droite, sur le plan social, ou sur le plan syndical, ça va très loin. C'est le recours à la police provinciale, à des lois matraques, des lois qui seront plus tard déclarées *ultra vires* ou anticonstitutionnelles. Il faut tout faire pour briser le mouvement syndical. Là-dessus, le clergé lui-même commence à se distancier. On a vu Mgr Charbonneau, archevêque de Montréal, aider les grévistes d'Asbestos, en faisant une quête dans les paroisses de son diocèse. Ça, Duplessis ne lui pardonnera pas. Il demande à Mgr Roy d'intervenir pour éloigner Charbonneau de Montréal. Ce dernier se retrouvera ainsi aumônier dans un hospice en Colombie-Britannique. Duplessis a réussi à user de son influence jusqu'à Rome pour faire tasser — permettez-moi l'expression — Mgr Charbonneau, archevêque de Montréal. Ce n'était pourtant pas n'importe qui. Duplessis utilise donc à son profit l'influence, le rôle social et les valeurs du clergé. Et il ira jusqu'au bout. C'est pourquoi quand Duplessis tombe, quand l'Union nationale tombe, le clergé en subit les contrecoups. La Révolution tranquille annonce un changement majeur parmi nos élites politiques et sociales. Et le clergé va souffrir longtemps d'avoir été tant identifié à Duplessis.

Permettez-moi d'ajouter une anecdote. Quand on écoute les discours de Duplessis, on a l'impression que c'est un curé qui parle. Duplessis, quand on l'écoute parler, on se dit: «C'est pas un Jean Lesage, c'est pas un René Lévesque.» La télévision aurait immanquablement tué Maurice Duplessis. Il ne passait pas. C'est quelqu'un qui parle comme un curé. Ainsi, il inaugurera, au milieu des années cinquante, le barrage de Beauharnois, qui est l'équivalent de Manic pour l'époque, en faisant référence aux «valeurs spirituelles plus importantes que la matière. [...] Heureusement que nous sommes catholiques.» C'est incroyable! On croirait entendre un curé de campagne, pas un premier ministre! Mais on constate qu'il cherche aussi à miser sur la tradition.

BIBLIOGRAPHIE SOMMAIRE

BLACK, Conrad, *Duplessis*, 2 vols., Montréal, Éditions de l'Homme, 1977.

BOISMENU, Gérard, *Le duplessisme. Politique économique et rapports de force, 1944-1960*, Montréal, PUM, 1981.

COMEAU, Paul-André, *Le Bloc populaire, 1942-1948*, Montréal, Québec-Amérique, 1982.

DESROSIERS, Richard, *Maurice Duplessis et l'autonomie provinciale*, mémoire de maîtrise, Université de Montréal, 1971.

DION, Léon, *Québec 1945-2000, tome 2: Les intellectuels et le temps de Duplessis*, Sainte-Foy, PUL, 1993.

Quatrième partie

La quatrième et dernière émission couvre la période turbulente et dynamique des années soixante aux années quatre-vingt-dix. C'est la Révolution tranquille, le Parti libéral des Lapalme, Lesage et Lévesque, l'émergence de l'État comme moteur de l'économie et de l'affirmation nationale, la création des mouvements indépendantistes, l'élection du Parti québécois, le référendum de 1980, le rapatriement de la Constitution de 1982, et l'échec du lac Meech de 1990. C'est pendant cette période que les «Canadiens français» affirment être dorénavant des «Québécois» et finalement des «Québécois francophones» devant le phénomène de l'immigration qui vient modifier les paramètres traditionnels de l'identité nationale.

Les personnes interviewées sont les historiens Richard Desrosiers et Robert Comeau, et le professeur de science politique Louis Balthazar.

Entrevue avec Richard Desrosiers

QUESTION: *Monsieur Desrosiers, lorsque Duplessis règne, il a quand même une opposition à Québec. Ça ne devait pas être facile d'être chef de l'opposition contre Duplessis.*

RÉPONSE: Non. Pour Georges-Émile Lapalme, les années cinquante ont été très dures. L'histoire a d'ailleurs été injuste à l'égard de Georges-Émile Lapalme, lui qui a joué un rôle important, mais peu connu. Être chef de l'opposition contre Duplessis dans les années cinquante, ce n'était pas facile. D'abord, en matière de négation des droits. Pendant les années cinquante, pendant les années de Duplessis, il n'y a pas de transcription des débats parlementaires. C'était une perte d'argent et de temps! Imaginez alors ce qu'il peut se permettre en Chambre. Il a le contrôle de la Chambre. Il reste les journalistes du *Devoir*, comme Pierre Laporte, qui rapportent les principaux événements. Aussi Duplessis refuse-t-il de donner une conférence de presse s'il y a un journaliste du *Devoir* présent dans la salle. Duplessis va ainsi manipuler les règles démocratiques parlementaires habituelles. Alors, être chef de l'opposition dans les années cinquante, ça demandait un courage inouï. La machine électorale de l'Union nationale est tellement perfectionnée qu'il faudra un véritable balayage général pour que l'opposition remporte une élection. De plus, Georges-Émile Lapalme hérite en 1950 d'un parti qui a été marqué par la crise de la conscription. Il lui faut transformer ce parti, essayer de lui redonner un programme politique. Le rôle de Georges-Émile Lapalme consiste à la fois à maintenir un peu de démocratie en Chambre et à rebâtir un Parti libéral qui a un problème d'image. En fait, à la fin des années cinquante, c'est un véritable programme de Révolution tranquille que Georges-Émile Lapalme va élaborer.

QUESTION: *Diriez-vous que Georges-Émile Lapalme a inspiré le programme des libéraux qui ont fait la Révolution tranquille?*

RÉPONSE: Inspiré! Il est le père de ce programme. Jean Lesage a été choisi chef en 1959 parce qu'on voulait avoir une nouvelle image, parce qu'au chapitre d'images télévisuelles ou publicitaires, Georges-Émile Lapalme passait moins bien la rampe. Mais Georges-Émile Lapalme a vraiment pensé la Révolution tranquille, en créant la Fédération libérale du Québec, malgré l'opposition des argentiers du parti, en luttant pour transformer leurs conceptions du nationalisme, de l'État et du social. Finalement, quand Lesage est nommé chef du parti, Lapalme aura suffisamment de temps et de recul pour rédiger son fameux texte, *Pour une politique,* qui est le véritable programme de la Révolution tranquille, dont on va s'inspirer pour écrire le programme électoral de 1960. Mais je ne parle pas uniquement du programme électoral. En fait, les grandes idées de la Révolution tranquille, les grandes réformes mises de l'avant par la Révolution tranquille, c'est Georges-Émile Lapalme qui les a lancées à la fin de sa carrière comme chef de parti.

Et d'ailleurs, au début des années soixante, dans le Parti libéral, il est encore actif.

QUESTION: *Mais quand le Parti libéral change de chef à Québec, on nous présente un homme qu'on ne connaît pas beaucoup ici. D'où vient ce Jean Lesage et qui est-il? Est-il perçu, au départ, comme un nationaliste?*

RÉPONSE: Ah non! Pas du tout. Il a été quelque temps ministre fédéral dans le cabinet Saint-Laurent. Il est dans l'opposition à Ottawa depuis que les libéraux ont perdu les élections aux mains de Diefenbaker. Pourquoi est-on allé chercher Jean Lesage? Je dirais que c'est parce qu'il était un fédéraliste convaincu, et qu'on commençait à craindre les idées de Georges-Émile Lapalme. Mettre sur pied une Fédération libérale du Québec sans l'appui des argentiers, fallait avoir du culot; inviter des gens à un congrès politique et leur demander de payer pour assister à un congrès, ça ne s'était jamais vu dans les années cinquante. On payait les gens pour qu'ils participent à un congrès politique, pas le contraire! On craignait Georges-Émile Lapalme. Comme ce dernier n'avait pas une belle image, comme il était fatigué lui-même de sa lutte contre Duplessis, Lesage représentait ce type jovial, dynamique, fédéraliste, pragmatique, qui pouvait récupérer tous les opposants. Il y avait aussi Paul Gérin-Lajoie comme candidat à la succession de Lapalme. Mais il était peut-être trop nationaliste; c'était un universitaire et on craignait son manque d'habileté politique. On voulait, selon l'expression qui avait cours, un bon politicien, capable de gagner les élections et dont l'image ne posait aucun problème. C'est pourquoi, finalement, c'est Jean Lesage qui l'a emporté. C'était le choix du fédéral, le choix des argentiers, et on pouvait même craindre que les efforts de changement de Georges-Émile Lapalme ne porteraient pas fruit. Mais heureusement — et ça, il était assez rusé pour le comprendre — Jean Lesage savait qu'il ne pourrait gagner seul une élection. Pour reprendre le pouvoir à Québec, les libéraux avaient besoin d'organiser une super-équipe. Il fallait renverser 15 ans de domination politique, de favoritisme, de vol d'élections. Alors il fallait une équipe superbe, il fallait plus qu'un bon chef. Et ça, Lesage l'a compris, et les libéraux également. C'est pourquoi ceux-ci sont allés chercher Paul Gérin-Lajoie, René Lévesque, même Georges-Émile Lapalme. Les quatre «L», l'équipe du tonnerre. Et c'est ainsi que le changement politique est arrivé en 1960.

QUESTION: *À la fin des années cinquante, sent-on venir la fin du duplessisme?*

RÉPONSE: Oui. Ça bouillonne de partout au Québec, dans le mouvement syndical, chez les artistes, depuis le *Refus global,* parmi les universitaires, autour du père Georges-Henri Lévesque à l'Université Laval, par exemple, dans des revues, telle *Cité libre.* Chez les nationalistes, on commence à redéfinir le nationalisme en parlant d'État-nation, comme à la Société Saint-Jean-Baptiste de Montréal. *Le Devoir* commence à se réaligner. On sent que ça bouillonne. La meilleure preuve qu'il s'agit d'une fin de régime est donnée quand Paul Sauvé prend le pouvoir à la mort de Duplessis; il entame lui-même un processus de changement. C'est son «désormais». Comme il n'a été là que 100 jours, on ne peut pas vérifier si c'est par habileté politique ou par pur opportunisme qu'il a agi ainsi, mais Paul Sauvé avait tout de même senti qu'on assistait à une fin de régime. Les modifications profondes sur le plan économique et social issues de la Deuxième Guerre mondiale exerçaient d'énormes pressions. Le système politique craquait de partout. À la fin des années cinquante, on avait encore un gouvernement qui véhiculait des valeurs dignes du XIXe siècle, qui avait même peur de l'État. Dans tous les domaines, il fallait que ça change. Et c'est ce qui va se passer en 1960. En 1960, la Révolution tranquille, c'est certes la victoire de l'équipe Lesage et la série de réformes politiques que son gouvernement va entamer. Mais la Révolution tranquille, c'est aussi, plus largement, un changement global de la société québécoise, des valeurs, des élites et de la culture. Il ne faudrait surtout pas associer la Révolution tranquille uniquement au régime Lesage.

QUESTION: *Alors, qui a fait la Révolution tranquille?*

RÉPONSE: Sur le plan politique, certes, le Parti libéral. Les Lesage, Lévesque, Gérin-Lajoie, Lapalme ont mis de l'avant, chacun dans leur secteur, des réformes majeures. La création d'un ministère de l'Éducation, c'était un *must* — si vous me permettez l'expression —, tout comme la création d'un ministère des Affaires culturelles. On assiste ensuite à la multiplication des interventions dans les principaux champs de l'économie, de la nationalisation de l'électricité à la création de la Société générale de financement (SGF), en passant par la mise sur pied de la Caisse de dépôt et placement, qui est aujourd'hui un instrument fantastique. Sur le plan social, l'assurance-hospitalisation et différentes autres mesures sociales seront mises de l'avant. Toutes ces initiatives émanent du gouvernement. Les réformes politiques confirment l'instauration à Québec de l'État-providence, que le gouvernement fédéral avait, de son côté, mis en place depuis la Deuxième Guerre mondiale. Au niveau provincial, on avait pris du retard. C'est pour cette raison d'ailleurs qu'on a parlé de Révolution tranquille: il a fallu mettre les bouchées doubles, il a fallu faire en peu de temps ce que d'autres provinces ou d'autres pays avaient réalisé sur une période plus longue, depuis la Deuxième Guerre mondiale. Il a fallu faire vite, d'où cette impression que tout changeait. Mais justement, tout a changé, et des choses ont échappé au gouvernement Lesage. L'essor du nationalisme dans les années soixante, Lesage n'a rien à y voir, au contraire. Il n'était pas tellement heureux de voir que ce bébé, qu'il avait mis au monde, grandissait et lui échappait. Même phénomène dans le domaine des arts et de la culture ou dans les mentalités. Au chapitre de la religion, par exemple, tout s'effondre, les prêtres défroquent et désertent leurs communautés religieuses. Sur le plan familial, même type d'évolution. Au milieu des années cinquante, même si la famille québécoise n'était plus ce qu'elle était, les méthodes contraceptives étaient tout de même traditionnelles; la pilule, ce n'était pas bon. En 1964-1965, la femme québécoise est celle qui utilise le plus de pilules anticonceptionnelles de toutes les femmes des sociétés occidentales. En dix ans, il y a eu un changement radical, qui a touché les mentalités, les idéologies, la culture. Tout bouge. C'est comme une marmite dont le couvercle était contenu par le duplessisme; quand on ose l'ouvrir, ça explose, et ça explose dans toutes les directions. Ça dépasse probablement de beaucoup ce que souhaitait Jean Lesage.

QUESTION: *Justement, si le Parti libéral de Jean Lesage n'est pas nationaliste, comment peut-on expliquer cette croissance nationaliste qui, finalement, va aboutir à l'exclusion de René Lévesque du parti?*

RÉPONSE: Je crois que Jean Lesage n'était pas nationaliste, ou, s'il l'était, il était d'abord fédéraliste. La majorité des députés étaient de tendance fédéraliste, ne croyaient pas au renouvellement du nationalisme, ne souhaitaient pas un changement constitutionnel majeur. Par la force des choses, Lesage a été amené à accomplir des gestes autonomistes importants pour le Québec. Mais fondamentalement, la direction de son parti était fédéraliste, elle ne voulait pas aller trop loin, et lorsque certaines mesures ont risqué de heurter les amis d'Ottawa, Lesage a reculé. Comme la création d'une sidérurgie québécoise, qui était pourtant un élément du programme libéral depuis longtemps. Lorsqu'on a vu que ça heurtait des intérêts au Canada anglais, on a reculé. Ce n'est pas Jean Lesage, mais bien Daniel Johnson qui va signer les ententes pour la création de Sidbec. On était d'accord pour des réformes québécoises qui allaient dans le sens de la création de l'État-providence, mais on reculait si ça risquait de mettre en péril le lien fédéral ou l'équilibre constitutionnel. Ça, Lesage est clair là-dessus. Mais dans son parti, il y a une aile militante nationaliste, regroupée autour de René Lévesque. L'aile nationaliste est plus forte dans le cabinet qu'elle ne l'est dans le parti. René Lévesque est vraiment le leader de cette aile, non pas qu'il soit indépendantiste — disons souverainiste. Je pense qu'avant 1964 ou 1965, il n'a pas vraiment pensé à ça. Mais il est clair qu'il allait dans cette direction. On peut le voir lors de la campagne de 1962. Regardez le slogan «Maîtres chez nous» — c'est René Lévesque qui a imposé ce thème. Lesage ne voulait pas de la nationalisation de l'électricité. C'est au fameux lac à l'Épaule, lors d'une réunion spéciale du cabinet Lesage, que Georges-Émile Lapalme est intervenu dans le conflit qui opposait Lévesque, qui avait épousé la cause de la nationalisation de l'électricité, et Lesage qui n'en voulait pas. Lapalme croit fermement que si les prochaines élections portent sur cette nationalisation, ils les remporteraient. Et il a misé sur l'opportunisme politique de Lesage pour le convaincre. L'Union nationale était divisée à la suite du congrès qui avait élu Daniel Johnson. Les libéraux étaient au pouvoir depuis à peine deux ans. Lesage va alors mordre à l'hameçon et accepter de tenir des élections sur le thème de la nationalisation de l'électricité. C'est à ce moment que Lévesque sort son fameux slogan, «Maîtres chez nous». Cette idée va beaucoup plus loin que les nationalistes ne l'auraient même souhaité, et Lesage est pris dans cette campagne. C'est ce qui explique pourquoi, en 1966, il a écarté Lévesque. Il lui a dit: «Toi, tu ne te mêles pas de la campagne électorale, cette fois-ci je la fais tout seul.» Il a perdu, d'ailleurs.

QUESTION: Quel a été le coup de frein à cet élan nationaliste qui ne plaisait pas aux éléments fédéralistes du gouvernement Lesage?

RÉPONSE: Le gouvernement Lesage amorce un nouveau virage autour de la période 1964-1965. Kierans et Lévesque se voient retirer les ministères à vocation économique, pour être envoyés aux affaires sociales. Mais hériter du portefeuille des Affaires sociales et de la Santé en 1964, c'était hériter d'un tas de problèmes, tout le contraire d'une promotion politique. Ça veut dire que l'aile nationaliste est en perte d'influence. Ça veut dire que l'aile fédéraliste reprend le dessus. Au même moment, on fait entrer dans le cabinet, par le biais d'une élection partielle, un dénommé Claude Wagner, petit avocat populiste qui avait soi-disant combattu la pègre, et qui était un homme de droite, partisan du *law and order*, et qui décide, lui, de montrer qu'il en a marre des manifestations nationalistes. On lui doit le Samedi de la matraque, où il a décidé de lancer la police contre les manifestants qui n'étaient pas d'accord avec la visite de la reine Élisabeth à Québec. On lui doit la construction d'un char anti-émeute, une farce presque ridicule, pour contrer les manifestants nationalistes. On adopte maintenant la ligne dure avec les nationalistes. On le sent, à partir de 1964-1965, quand on écarte Lévesque et ses amis; on le sent par les changements de cabinet, par le durcissement à l'endroit des nationalistes et par l'acceptation de la formule Fulton-Favreau où le Québec consent à un rapatriement constitutionnel et à une formule de changement constitutionnel. N'eût été la campagne de Jacques-Yvan Morin et des nationalistes de l'époque, le Québec aurait embarqué dans quelque chose de pire que le lac Meech. On sent que Lesage applique les freins. On sent que l'aile fédéraliste reprend le dessus.

QUESTION: *Il y a donc, à ce moment-là, une rupture.*

RÉPONSE: Il y a une rupture entre l'aile nationaliste et l'aile fédéraliste. Mais tant qu'il est au pouvoir, Lévesque ronge son frein... Jusqu'en 1966, alors que les libéraux essuient un cuisant échec électoral. C'est une grande surprise parce que les sondages donnaient les libéraux gagnants. Ce qui est vrai, c'est qu'ils ont obtenu un pourcentage du suffrage universel plus élevé que celui de l'Union nationale.

QUESTION: *Mais le RIN avait grugé des votes.*

RÉPONSE: C'est ça.

QUESTION: *Alors on se retrouve avec un gouvernement Union nationale qu'on n'avait pas vu venir. Que font les nationalistes du Parti libéral à ce moment-là?*

RÉPONSE: Les nationalistes du Parti libéral n'ont plus, cette fois, le poids de la direction de leurs ministères, le poids du gouvernement sur les épaules. Alors René Lévesque va commencer à réfléchir sur la question constitutionnelle qu'il avait, dit-il, négligée. Il semble qu'il ait consulté Georges-Émile Lapalme sur cette question et que celui-ci lui ait dit: «Écoute, il faut aller un peu plus loin sur la question constitutionnelle pour poursuivre la Révolution tranquille.» Lévesque a ensuite réuni un groupe d'amis avec lequel il mettra de l'avant le manifeste décrivant la souveraineté-association. Considéré tout d'abord comme une aile à l'intérieur du Parti libéral, ce groupe minoritaire amorce une réflexion sur la situation politique du Québec. Robert Bourassa y est même associé, indirectement. Certaines réunions du groupe de Lévesque se tiennent, en effet, dans le sous-sol de la maison de Robert Bourassa. Mais Bourassa choisit d'accepter la succession de Jean Lesage plutôt que de se mouiller. En 1967, Lévesque s'engage un peu plus, mais il sait la bataille perdue d'avance. Il essaie de convaincre le Parti libéral de se lancer dans une révision constitutionnelle. Mais il n'a aucune chance. Et, avant même d'être expulsé — on préparait une résolution d'expulsion —, René Lévesque décide de quitter le parti. Il claque la porte et fonde finalement son mouvement, le MSA, qui deviendra le Parti québécois.

QUESTION: *Est-ce que l'accession au pouvoir, quelques années plus tard, du Parti québécois est un moment qu'on peut qualifier d'historique dans l'évolution du nationalisme québécois?*

RÉPONSE: La prise du pouvoir en 1976 marque la reprise de la Révolution tranquille et son parachèvement. Je ne parle pas dans une optique nationale ou nationaliste. Je le dis en tenant compte de l'ensemble des mesures de réforme de l'État qu'on a connues de 1960 à 1966, et même jusqu'à 1968, parce que je mets Daniel Johnson dans la foulée des leaders politiques qui ont mené le Québec dans une Révolution tranquille. Jean-Jacques Bertrand en 1968 et Bourassa en 1970 ont mis les deux pieds sur le frein. À part la réforme Castonguay, la Révolution tranquille est vraiment terminée au début des années soixante-dix. En 1976 cependant, on renoue avec elle. Dans ce sens, il y a une reprise de la Révolution tranquille, avec les slogans, les réformes poursuivies, le rôle de l'État, y compris celui confié à la Caisse de dépôt et placement, par exemple, comme agent d'intervention économique en faveur des hommes d'affaires québécois, ce que Bourassa refusait de faire. En 1976, il est clair que nous vivons un moment historique parce qu'on renoue avec la Révolution tranquille, avec également la dimension nationaliste de la Révolution tranquille. Ce n'est pas le triomphe de l'indépendantisme ni du souverainisme; d'ailleurs, je pense que personne ne l'a vu ainsi. Il s'agit plutôt de renouer avec ce qui s'était amorcé dans les années soixante, sans que cela ne représente pour autant une victoire des forces nationalistes, laquelle signifierait l'accession à la souveraineté ou à une forme associée de souveraineté. À preuve, l'issue du référendum. Je pense que les Québécois, et même le Parti québécois, n'étaient peut-être pas aussi prêts que ça.

QUESTION: *Justement, parlons de ce référendum. Rendons-nous en 1980, au référendum. Il y a là une question, qui est un peu alambiquée, qui n'est pas très puissante, mais qui donne l'occasion aux Québécois de se prononcer sur ce projet. Comment faut-il voir, dans l'évolution globale du nationalisme canadien-français et québécois, cette étape et le résultat du référendum de 1980?*

RÉPONSE: Le résultat du référendum de 1980 a signifié le début de la grande déprime. Chez les nationalistes, chez les intellectuels, ce fut un lendemain de veille terrible, le grand échec de ces espoirs nourris pendant 10, 12, 20 ans. Mais en même temps — et on le voit avec le recul —, ce qui manquait au mouvement du «oui», au mouvement souverainiste, c'était l'appui des hommes d'affaires québécois. C'est ce que Lévesque voulait aller chercher en formant un bon gouvernement, en montrant que, finalement, en travaillant pour l'État québécois, tout le monde, y compris les hommes d'affaires, en tireraient profit. Mais la preuve n'est pas encore complète en 1980. Certes, les différentes interventions de l'État dans l'économie ont montré aux hommes d'affaires qu'on avait de grands moyens, l'Hydro-Québec, la Caisse de dépôt et placement le prouvent; mais on a encore l'impression d'avoir besoin en affaires du grand frère fédéral. Même si la rue St. James devient la rue Saint-Jacques, on a encore l'impression, dans le milieu des affaires du Québec, qu'on a besoin d'Ottawa ou qu'on a besoin de l'Ontario. Alors que dans les faits — et là-dessus, même Bourassa y contribue —, les années quatre-vingt ont démontré le contraire aux hommes d'affaires.

Le débat avec les États-Unis sur le libre-échange l'a bien montré. Les hommes d'affaires québécois, montréalais, peuvent réussir. Ils n'ont pas besoin du grand frère fédéral. Ça, c'est l'élément nouveau dans le débat constitutionnel et dans la montée nationaliste actuelle. Cette fois-ci, les résultats d'un référendum auraient des chances d'être positifs parce que d'autres couches sociales appuieraient une accession à la souveraineté. Ce ne sont plus seulement les jeunes, les intellectuels, la petite bourgeoisie. Maintenant, il y a les hommes d'affaires! La rue Saint-Jacques est devenue plus nationaliste et militante que certains de nos universitaires. Ça prouve qu'il y a un changement.

Donc 1980, à court terme, a suscité une grande déprime. Mais ça n'a pas été la mort, la fin de tout. À preuve, on voit le mouvement renaître, sur des bases différentes. La question constitutionnelle n'a pas été réglée en 1980. Elle ne l'est toujours pas, d'ailleurs. À un moment donné, ce sera un facteur qui secouera les gens. Je pense que le Parti québécois sous Pierre-Marc Johnson s'est trompé en pensant qu'il fallait abandonner le projet souverainiste. C'est ne pas comprendre l'histoire du nationalisme québécois que de penser que tout ça n'a duré qu'une dizaine d'années. C'est ne pas voir que les racines de ce mouvement remontent aux XVIIIe et XIXe siècles. C'est ne pas comprendre qu'il y a une constante dans l'histoire du peuple québécois, et c'est une montée d'affirmation, un questionnement sur le lien avec le grand tout canadien. Ça ne pouvait pas s'arrêter au référendum de 1980.

BIBLIOGRAPHIE SOMMAIRE

COMEAU, Robert et coll. (sous la dir. de), *Jean Lesage et l'éveil d'une nation. Les débuts de la révolution tranquille*, Sillery, PVL, 1989.

GODIN, Pierre, *La Révolution tranquille*, Tome I: La fin de la grande noirceur; Tome II: La difficile recherche de l'égalité, Montréal, Boréal, 1991.

GODIN, Pierre, *Les frères divorcés*, Montréal, Éditions de l'Homme, 1986.

LÉVESQUE, René, *Option-Québec*, texte précédé d'un essai d'André Bernard, 1988 (édition originale: 1968).

MARSOLAIS, Claude V., *Le référendum confisqué. Histoire du référendum québécois du 20 mai 1980*, Montréal, VLB éditeur, 1992.

Entrevue avec Robert Comeau

QUESTION: *Monsieur Comeau, dans les années cinquante, un homme évolue sur la scène politique, qui n'est pas tellement connu aujourd'hui, même si son nom circule beaucoup, c'est Georges-Émile Lapalme. Parlez-moi un peu de Georges-Émile Lapalme.*

RÉPONSE: Georges-Émile Lapalme est un personnage qui a joué un rôle très important. C'était le chef du Parti libéral du Québec de 1950 à 1958. Méprisé par Duplessis et ayant peu de députés à l'Assemblée législative, M. Lapalme a opéré une réorientation fondamentale dans le Parti libéral. Cet ami des arts, ce fin lettré, après une carrière politique dans l'opposition remplie d'échecs, a fait prendre un tournant majeur au Parti libéral, tant sur le plan social que sur le plan national. En 1958, lorsqu'il prépare le programme électoral du parti, il rédige un véritable manifeste où il présente toutes les réformes qu'il juge essentielles pour le développement du Québec. C'est lui le penseur de la Révolution tranquille qui inspire Jean Lesage. Dès 1958, il reconnaît l'erreur du PLQ lorsqu'en 1954 celui-ci n'a pas appuyé la demande de récupération par Duplessis de l'impôt sur le revenu des particuliers retenu par Ottawa. À ce moment-là, Lapalme avait appuyé Louis Saint-Laurent.

Mais Duplessis avait gagné et cette victoire de 1954 était fondamentale: elle a donné des ressources au gouvernement du Québec. Dans son document rédigé en 1958, *Pour une politique,* Lapalme se révèle un véritable visionnaire. Il parle du nouveau rôle de l'État québécois qu'il veut voir au service de la libération économique du Québec. Il veut utiliser l'État québécois comme un instrument de libération économique. Lapalme, après un mandat comme député à Ottawa, change d'attitude face à la question du Québec. On voit un Lapalme très nationaliste. À la fin des années cinquante, il propose des mesures concrètes, réformistes, qui seront soumises à l'électorat québécois. Au lieu de compter sur le fédéral pour lutter contre les politiques de Duplessis, il préconise un nationalisme progressiste. Par ce projet, il va rallier un grand nombre de démocrates désabusés par la politique de l'Union nationale, et ses idées seront reprises par Lesage, mais surtout par les hauts fonctionnaires regroupés autour de René Lévesque, les André Marier, Claude Morin, Jacques Parizeau, Roland Parenteau, etc. Ils vont vouloir faire jouer à l'État québécois un rôle beaucoup plus important. On s'aperçoit que le nationalisme devient un nationalisme associé à un réformisme social, qui n'a plus rien à voir avec celui de Duplessis, associé à une idéologie conservatrice. Alors c'est Lapalme, à mon avis, qui a marqué ce tournant, ce changement dans l'orientation du Parti libéral du Québec.

QUESTION: *Iriez-vous jusqu'à affirmer que Georges-Émile Lapalme a été un des pères de la Révolution tranquille?*

RÉPONSE: Ah oui! sûrement. Je pense qu'il faut réhabiliter Georges-Émile Lapalme, qui est d'ailleurs peu connu. Encore maintenant, on ne lui donne pas, à mon avis, tout le mérite qui lui est dû, parce que c'est lui en fait qui a été le penseur du Parti libéral de l'époque, c'est lui, en fait, beaucoup plus que Jean Lesage. Ce dernier était le maître d'œuvre de cette politique. C'est Lapalme qui a élaboré le programme politique et qui l'a formulé clairement. On a publié récemment ce programme, *Pour une politique;* le manuscrit avait été écrit en 1958. Il s'agissait de beaucoup plus qu'un programme électoral; c'étaient en fait les grandes orientations qui allaient être mises en œuvre pendant 20 ans. Toute la période qui s'étend de 1960 à 1980 sera sous l'influence de Georges-Émile Lapalme. Finalement, c'est le programme de la Révolution tranquille. Et c'est d'ailleurs ce programme qui a attiré René Lévesque dans les rangs du Parti libéral. Les grandes réformes l'avaient complètement séduit et il était d'accord avec ces idées-là. Le programme proposait une vision d'un Québec moderne, progressiste et apportait en même temps une nouvelle définition du nationalisme beaucoup plus progressiste.

QUESTION: *Croyez-vous que René Lévesque, le René Lévesque du MSA, du Parti québécois, a aussi été influencé par Lapalme?*

RÉPONSE: J'en suis convaincu. Lapalme était celui qui appuyait certaines mesures comme la nationalisation de l'électricité. Il a convaincu Jean Lesage, à l'époque, d'adopter une telle mesure. Dans un document datant de 1966, alors que le Parti libéral est défait, c'est encore Lapalme qui, dans un petit mémo, exhorte René Lévesque à continuer à définir son orientation constitutionnelle, tout en déplorant qu'en 1966, le Parti libéral n'ait plus d'orientation constitutionnelle. René Lévesque n'hésitera pas à le consulter en 1966. On sait que Lapalme avait démissionné en 1964 de son poste de ministre des

Affaires culturelles, considérant que le parti de Jean Lesage n'accordait pas assez d'importance au ministère qu'il avait créé et pour lequel il s'était battu dans le but d'augmenter ses ressources. Il avait effectivement claqué la porte. Mais en 1966, c'est encore Lapalme qui conseille René Lévesque et l'incite à poursuivre son travail dans la fondation du MSA. On ne parle pas souvent du rôle de Lapalme, à mon avis, comme conseiller de Lévesque, et cela m'apparaît très important. On a sous-estimé le rôle de Lapalme dans ce grand virage des années soixante.

QUESTION: *Vous avez souligné que s'opposer à Duplessis dans les années quarante et au début des années cinquante, c'était s'opposer à une forme de conservatisme et donc en même temps c'était s'opposer à une forme de nationalisme, qui était celle de Duplessis. Cette tendance n'a-t-elle pas été adoptée par des gens comme Trudeau, Pelletier et Marchand lorsqu'ils se sont opposés à Duplessis? On s'opposait à son conservatisme, mais en même temps on s'opposait au nationalisme.*

RÉPONSE: Effectivement. Le progrès semblait passer par Ottawa. Durant ces années, les politiques sociales étaient mises de l'avant par Ottawa, alors qu'au Québec on avait plutôt une politique de non-intervention. On refusait les politiques sociales. Il a fallu attendre la fin des années cinquante pour que les gens se disent: «Est-ce qu'il n'y aurait pas moyen, à Québec même, d'être à la fois nationaliste et progressiste, donc que des mesures sociales soient mises en œuvre par Québec?» Et ça, c'est venu après le rapport Tremblay, en 1956, où pour la première fois des intellectuels nationalistes du Québec ont dit: «Il faut changer d'attitude vis-à-vis du rôle de l'État et à Québec même, il est possible d'avoir des politiques progressistes.» En d'autres mots, cessons de dire non à Ottawa, cessons de revendiquer l'autonomie d'une façon purement négative, voyons les choses plus positivement, en nous disant que des mesures sociales doivent être adoptées et que ça doit passer par Québec. Et là, c'est l'ouverture de tout le problème constitutionnel parce que le gouvernement québécois n'a pas les pouvoirs politiques et n'a pas non plus de ressources financières suffisantes. Alors c'est le début de la guerre pour récupérer des pouvoirs et des impôts. Mais ce changement s'est opéré autour des années 1956-1957. Lapalme s'inscrit à peu près en même temps que le rapport de la commission Tremblay, à Québec, qui recommande que l'État du Québec adopte une politique interventionniste. Il ne faut plus laisser l'initiative à Ottawa, comme cela a été le cas jusqu'alors. Ottawa avait adopté, en 1942, avec le rapport Marsh, une politique interventionniste canadienne. Cette politique s'appliquait en même temps que la centralisation fédérale pour renforcer l'unité canadienne. Au Québec, une telle volonté s'est manifestée 20 ans plus tard, et c'est parce que des gens comme Lapalme ont voulu faire jouer à l'État du Québec un rôle beaucoup plus important: c'est ici qu'il faut situer le début de la Révolution tranquille. L'attitude change vis-à-vis de l'État. On cesse de voir l'État comme un adversaire ou une menace socialiste. On se dit que l'État du Québec, où les francophones sont majoritaires, peut jouer un rôle positif dans le développement économique de la collectivité.

QUESTION: Mais selon vous, pourquoi des hommes comme Trudeau, Marchand et Pelletier étaient-ils réticents devant le nationalisme québécois?

RÉPONSE: Ils sont contre le conservatisme associé au nationalisme duplessiste et en même temps contre tout nationalisme québécois, car, selon eux, il est la cause du retard politique et économique du Québec. Trudeau est férocement contre les élites nationalistes canadiennes-françaises et catholiques. Il se prétendait internationaliste à *Cité libre,* mais on a bien vu qu'il était surtout un nationaliste canadien. À son avis, seul ce nationalisme est porteur de progrès. S'il reconnaît deux langues officielles, il n'a jamais reconnu l'existence d'une nation québécoise au Québec. Trudeau n'a jamais voulu reconnaître l'existence des deux nations: il a refusé les thèses d'André Laurendeau et les analyses de la commission Laurendeau-Dunton (1963-1968) qui soulignait la nécessité de reconnaître non seulement deux langues officielles, mais aussi deux sociétés distinctes avec deux cultures officielles. Trudeau a remplacé le biculturalisme par le multiculturalisme. Laurendeau est décédé en 1968. Dès 1969, le nouveau premier ministre Trudeau faisait adopter la loi sur le multiculturalisme: c'était une façon de nier l'existence de la nation québécoise.

QUESTION: *Puisque vous parlez d'André Laurendeau, j'en profite pour revenir aux années trente. À cette époque, Laurendeau avait pris la tête d'un mouvement nationaliste de jeunes. Où faut-il situer ces jeunes et leurs mouvements par rapport aux autres organisations nationalistes?*

RÉPONSE: À côté du courant principal, qui était le courant autonomiste, il y avait effectivement, je dirais à la marge, surtout chez les jeunes — c'étaient des mouvements de jeunesse —, un courant carrément séparatiste, qui a duré deux ans seulement. Il y avait les Jeunesses patriotes, les Jeunes Laurentiens, un certain nombre de revues: je pense, entre autres, à *Vivre.* Le journal *La Nation,* évidemment, était le plus important, celui qui a duré le plus longtemps, et il était dirigé par Paul Bouchard. Ce journal était, au tout début, carrément séparatiste. Bien sûr, ceux qui gravitaient autour du journal se disaient les disciples de Groulx, mais Groulx n'a jamais fait le saut dans l'indépendantisme officiellement. Néanmoins, il les encourageait dans leur orientation séparatiste. Il était leur maître à penser. Ces jeunes étaient de farouches anticommunistes et s'inspiraient carrément de l'extrême droite de l'Italie, du Portugal, de l'Espagne. Ils étaient donc imbus des thèses corporatistes et anticommunistes. Ils se piquaient d'être les plus anticommunistes au Québec. Mais en même temps, ils étaient séparatistes. Ça n'a pas duré longtemps, environ deux ans, parce que, dès que la guerre a commencé, ils se sont ralliés à une position plus modérée, et plus nationaliste canadienne face à la Grande-Bretagne. Paul Bouchard, celui qui dirigeait le journal *La Nation,* va se retrouver organisateur en chef de l'Union nationale après la guerre, et ce jusqu'en 1959. Donc, ce courant s'est rallié aux positions nationalistes conservatrices de Duplessis. Et c'est seulement vers 1959 qu'un nouveau courant séparatiste va réapparaître, avec l'Alliance laurentienne et la revue *La Laurentie.* Raymond Barbeau reprend les idées de Paul Bouchard des années 1936-1938. Il y a donc une certaine filiation dans ce courant séparatiste de droite. Par contre, le RIN ne se situe pas directement dans ce courant. C'est plutôt un parti centriste né dans les années soixante et qui veut se démarquer de l'Alliance laurentienne. Ce qui me frappe, moi, c'est de voir comment le mouvement indépendantiste a parfois été associé à l'extrême droite, comme dans les années trente, alors que dans les années soixante le mouvement séparatiste était plutôt associé à la gauche, à un courant de décolonisation, et même à un courant révolutionnaire, où indépendance et socialisme sont liés, comme on peut le lire en parcourant la revue *Parti pris* (1963-1968). Donc, on a vu le courant indépendantiste associé à deux programmes socio-économiques carrément différents. Et j'avancerais que le PQ affiche maintenant un programme plutôt de centre. On peut donc dire que l'idéologie indépendantiste s'est retrouvée associée, quand on regarde l'histoire, à différentes tendances sociales, à différents programmes économiques.

QUESTION: *Il y a eu une espèce de pluralisme à l'intérieur du nationalisme...*

RÉPONSE: C'est ça. Il n'y a pas eu un seul courant dans le déroulement de l'histoire. Et des expressions diverses ont existé parallèlement.

QUESTION: *Parlons maintenant d'un homme qui est sans doute inconnu du grand public: Maurice Séguin. Quelle a été l'importance de ce grand professeur d'histoire dans la connaissance et l'exploration du mouvement nationaliste et de l'identité québécoise?*

RÉPONSE: Je pense que Maurice Séguin est l'historien le plus controversé et en même temps le plus méconnu, mais le plus important du Québec moderne. Je pense que Maurice Séguin a exercé une influence à travers ses disciples bien au-delà de ce qu'on peut imaginer. Il a enseigné à plusieurs générations depuis 1948. C'est lui qui a occupé la chaire d'histoire du Canada du chanoine Groulx, à l'Université de Montréal à partir de 1948 et il est décédé en 1984. Pendant toutes ces années, il s'est vraiment consacré à l'enseignement. C'est un maître qui a peu publié, mais qui a enseigné à un très grand nombre d'étudiants et qui a formé les premières générations d'indépendantistes du Québec moderne. C'est lui qui a enseigné à Pierre Bourgault, Noël Vallerand, Denis Vaugeois, Jean-Marc Léger; enfin il a formé de nombreux enseignants et intellectuels à sa conception de l'histoire des deux Canadas. Son originalité, c'est qu'il était en rupture avec le chanoine Groulx. Il avait une conception du nationalisme beaucoup plus «politique» que le chanoine Groulx, davantage culturelle. Pour Groulx, le nationalisme, c'était plus une défense de la culture, de la religion, des traditions, du patrimoine, etc. Pour Séguin, le nationalisme embrassait beaucoup plus large. C'était essentiellement la recherche, l'affirmation, et aussi la défense, mais d'abord la recherche et l'affirmation de la maîtrise de sa vie politique, économique et culturelle pour un peuple. Donc c'était beaucoup plus englobant. Et pour nous, ça correspondait aussi à la période de la décolonisation. On sentait Maurice Séguin beaucoup plus proche des théories de la décolonisation que des théories groulxistes. C'était quelqu'un qui préparait au combat séparatiste et qui allait à l'essentiel, qui était pour lui le problème de la défaite du peuple québécois en 1760. Il était d'ailleurs obsédé par le problème de sa nation. Il vivait ce drame du Québec d'une façon absolument excessive. Il nous parlait avec passion de ce qui était, pour lui, le problème principal: la mise en minorité du peuple québécois dans un régime fédéral. Et c'est ça, pour lui, l'oppression essentielle. Ce peuple, minoritaire, se retrouve dans un système fédéral de plus en plus en minorité, et ce indépendamment des oppressions secondaires. Qu'il ait été maltraité ou qu'on lui interdise l'usage du français (comme en 1840), c'étaient des questions secondaires. La question principale était structurelle, si je puis dire. C'était le fait que, placé en minorité, ce peuple-là ne pouvait pas être maître de sa vie politique. Et de là découlait tout le reste. Ce qui frappait chez lui, c'était l'importance qu'il accordait à l'interdépendance entre le politique, l'économique et le culturel. On ne peut pas être souverain sur le plan culturel si on n'a pas la maîtrise de sa vie politique. Alors il nous faisait toujours le lien entre l'économique, le politique et le culturel et affirmait la nécessité pour un peuple de ne pas être «remplacé». Pour lui, l'oppression c'était le remplacement. Il considérait que, autant pour un individu que pour un peuple, agir par soi, donc être autonome, c'était là une source d'enrichissement, une source d'expérience. Dans le régime fédéral, c'est la majorité des représentants majoritaires de l'autre peuple qui domine, qui prend les décisions; dans ce cadre, le peuple minoritaire est nécessairement annexé. Selon lui, la nation québécoise n'était pas une simple société, c'était beaucoup plus précis, il s'agissait d'une nation opprimée, annexée, dans un cadre fédéral. Maurice Séguin avait approfondi son analyse de cette situation, ce qu'il appelait, lui, une «sociologie du national», et il accordait une grande importance à la théorie. C'est dans ce sens qu'on peut considérer Maurice Séguin comme étant le théoricien du mouvement indépendantiste contemporain. Il avait travaillé pendant des années à ses thèses avant de les publier, il a pris 15 ans avant d'écrire son fameux texte sur la sociologie du national. Ce texte, très dense, nous permet de réinterpréter l'histoire des deux Canadas. Il suggère un nouveau cadre interprétatif pour permettre une nouvelle lecture des faits connus. Ce qui l'intéressait, c'était plutôt la grande histoire politique du Québec. Il a donc réhabilité une certaine histoire politique et il s'est démarqué de Groulx. Là où Groulx vantait la Nouvelle-France, Séguin était beaucoup plus sévère. Il soulignait plutôt les conséquences, avec un certain cynisme parfois, de la défaite de 1760 pour le peuple vaincu. Et il montrait ces conséquences dans tous les domaines: politique, culturel, économique. Séguin était loin d'être un historien rassurant. Sa vision tragique du destin du peuple québécois, privé de l'indispensable indépendance, a fait qu'on a parlé d'«histoire noire».

QUESTION: *Êtes-vous d'accord avec ceux qui disent que Maurice Séguin nous a fait passer de l'identité canadienne-française à l'identité québécoise?*

RÉPONSE: Oui, effectivement, c'est une des caractéristiques de son nationalisme. Son nationalisme était plus lié au territoire et à l'État du Québec. Il n'était plus rattaché à l'ethnie ni à la culture des francophones de l'ensemble canadien. Il nous introduit à un nationalisme territorial: on veut créer un pays québécois avec son État national. Il ne s'agit plus de quémander l'égalité impossible dans un régime fédéral où les Canadiens français seront toujours une minorité.

Séguin mettait l'accent sur le caractère absolument indispensable de l'indépendance pour un peuple normal. Il montrait comment cette question de l'indépendance pour un peuple est essentielle. Cependant, il éprouvait lui-même des doutes sur les possibilités pour le peuple québécois de la réaliser. Alors, d'une part, il voyait le drame de cette nation, conquise, mise en minorité, pour qui l'indépendance est souhaitable, mais d'autre part, il se disait: «Elle est tellement bien entretenue, c'est peut-être la nation la mieux entretenue au monde, et ces chaînes en or rendent sa libération difficile.» Alors, pour lui, le fait qu'elle soit bien entretenue par d'autres, dans ce régime fédéral actuel, faisait en sorte qu'il doutait des possibilités de réalisation de l'indépendance.

Et c'est en ce sens qu'on disait de l'école nationaliste de l'Université de Montréal que c'était l'«école noire».

Lorsque nous étions étudiants, à cette époque, nous essayions de le convaincre que si c'était souhaitable, il fallait tout faire pour que ce soit réalisable. Évidemment, Séguin essayait de toujours voir la chose objectivement, en ne sous-estimant jamais l'adversaire. Il était très critique à l'endroit des fédéralistes. Il était aussi critique à l'endroit de ce qu'il appelait les «indépendantistes optimistes», en montrant qu'il ne fallait pas sous-estimer les forces du *statu quo*. Il ne fallait pas sous estimer les raisons des autres groupes de vouloir le fédéralisme et de vouloir l'unité canadienne. En d'autres mots, il était capable de voir le point de vue de l'adversaire et de l'étudier très objectivement, en montrant quels sont les intérêts des divers groupes, l'intérêt des vainqueurs comme celui des vaincus. Pour lui, il était important de bien saisir les arguments de ceux qui étaient en faveur du fédéralisme. Il connaissait à fond le rapport Durham. Durham avait une vision réaliste de l'avenir du British North America. Mais essentiellement, son cours était une critique impitoyable du régime fédéral pour un peuple minoritaire. Alors, évidemment, il puisait dans l'actualité et dans l'histoire, comme celle de la Louisiane, pour faire comprendre la question nationale. Et c'était éclairant pour nous qui étions ses étudiants. On peut dire qu'il a été un des principaux intellectuels qui ont redéfini le nationalisme que l'on a qualifié de «néonationalisme». Je n'aime pas l'expression néo-nationalisme, mais c'est celle qui a été employée pour désigner cette nouvelle définition du nationalisme qui est beaucoup plus pertinente. Séguin disait que tout nationalisme est nécessairement séparatiste. Il ne faisait pas l'unanimité chez les historiens lorsqu'il affirmait une chose pareille. Il a donc été un historien très controversé, mal connu, parce qu'il a très peu parlé publiquement. Il est intervenu à la télévision, en 1962, pour quelques conférences, mais il a fait peu d'apparitions publiques. C'est un professeur qui s'est consacré à ses étudiants, qui a peu publié, mais qui a exercé une influence énorme, à mon avis. Parmi les historiens québécois, il est certainement le plus important bien qu'il ne soit pas reconnu à sa juste valeur.

BIBLIOGRAPHIE SOMMAIRE

COMEAU, Robert (édition préparée par), *Maurice Seguin, historien du pays québécois, vu par ses contemporains, suivi de «Les Normes»*, Montréal, VLB éditeur, 1987.

COMEAU, Robert et Lucille Beaudry (sous la direction de), *André Laurendeau, un intellectuel d'ici*, Sillery, PUQ, 1990.

LAPALME, Georges-Émile, *Pour une politique. Le programme de la révolution tranquille*, Montréal, VLB éditeur, 1988.

LÉONARD, Jean-François (sous la direction de), *Georges-Émile Lapalme*, Sillery, PUQ, 1988.

Entrevue avec Louis Balthazar

QUESTION: *Monsieur Balthazar, avant vous on aura entendu des historiens qui nous auront parlé du passé depuis le début, depuis la Nouvelle-France. Mais avec vous, l'exercice est plus délicat, plus périlleux parce qu'on aborde la période contemporaine. Comment peut-on qualifier le nationalisme contemporain au Québec?*

RÉPONSE: Il faut dire, d'entrée de jeu, qu'il s'agit d'un nationalisme profondément différent de celui qu'on a connu jusqu'à la Deuxième Guerre mondiale environ. Il est tellement différent, ce nationalisme contemporain, qu'on lui donne un nouveau nom: on l'appelle nationalisme québécois et non plus canadien-français. Il est tellement différent que beaucoup de gens ont cru devoir d'abord répudier l'ancien nationalisme avant d'adopter le nouveau. Durant les années cinquante, de nombreuses élites québécoises s'avouaient très antinationalistes parce qu'être nationaliste, ça voulait dire la tradition, ça voulait dire être replié sur soi, ça voulait dire fermer des fenêtres sur le monde extérieur, ça supposait une conception de la nation canadienne-française assez frileuse, homogène, ethnique: le vieux concept du Canadien français «pure laine», très lié avec la religion catholique.

Avec la Révolution tranquille, comme on le sait, tout ça est remis en question, et voilà que ce qui était du nationalisme traditionnel prend tout à coup un visage résolument moderne. Le nationalisme des années soixante est un nationalisme qui, très tôt, se veut laïque, donc détaché, indépendant de la religion catholique pratiquée par la majorité des Canadiens français. Il se veut aussi, et on n'a peut-être pas assez insisté là-dessus, tourné vers l'extérieur: comme on dit en anglais *outward looking*, par opposition à *inward looking*. Souvent, quand on dit nationalisme, on pense à des gens qui sont repliés sur eux-mêmes, qui ne s'intéressent pas à ce qui se passe à l'extérieur du pays, qui érigent des murs autour de leur nation, comme on dit. Mais le nationalisme québécois, selon moi, ce n'est pas ça, ni pour la majorité des gens ni pour ses leaders. Au contraire, les nationalistes québécois sont souvent des personnes qui ont beaucoup voyagé, qui se sont rendu compte, par exemple, que les missions canadiennes ne nous représentaient pas toujours bien, qu'il se trouvait des gens qui ne parlaient pas français dans des consulats et dans des ambassades du Canada. Ce sont des personnes qui, voyageant dans le monde, ont besoin de se donner une identité plus claire et plus précise: l'identité québécoise.

Donc, dans l'ensemble, il est faux de dire que les nationalistes québécois sont des gens repliés sur eux-mêmes. Au contraire, le nationalisme québécois est très compatible avec l'ouverture au monde, avec la pratique des relations internationales. À une certaine époque, le gouvernement québécois s'est mis à ouvrir des missions à l'étranger. Donc, ce nationalisme, dans l'ensemble, consiste plus à dire le Québec aux autres, ou au moins tout autant qu'à nous le dire à nous-mêmes.

Une autre caractéristique nouvelle du nationalisme, très importante à mon avis, n'apparaît peut-être pas tout de suite de façon évidente. Mais à partir du moment où on a défini la nation dans une perspective québécoise, c'est-à-dire territoriale, on affirme que notre appartenance, c'est le Québec francophone. Autrement dit, si on doit bâtir une société francophone, c'est au Québec qu'on va la bâtir, là où c'est possible de le faire, étant donné qu'on y possède la masse critique. De plus, à partir du moment où nous pensons Québec, nous pensons inévitablement selon une dimension multiethnique parce que le Québec n'est pas une entité purement francophone, purement canadienne-française. Au Québec, il y a des immigrants à qui on demande d'ailleurs d'adopter la langue française. Au Québec, il y a des anglophones. Donc, si nous nous définissons tout à coup comme Québécois, il est devenu contradictoire de nous définir suivant une dimension purement ethnique. Nous n'en avons plus le droit. Québécois «pure laine», Québécois de vieille souche, à mon avis sont des expressions qui n'ont plus de sens, parce que le Québec devra inévitablement devenir encore plus multiethnique qu'il ne l'est présentement. Je sais bien qu'en pratique il existe beaucoup de nationalistes québécois qui ne pensent pas comme ça, qui parfois même, hélas! ont des attitudes racistes ou frisant le racisme et qui ont tendance à définir un Québécois comme si c'était un Canadien français uniquement.

Mais si on regarde la dynamique du nationalisme québécois, il devra devenir, il devient déjà inévitablement une réalité multiethnique, un concept qui englobe des gens qui sont d'origines diverses. Cela est très important. Car, de l'extérieur souvent, on considère le nationalisme d'ici comme un mouvement ethnique, un mouvement de promotion d'une ethnie particulière. D'ailleurs, cela a été, dans l'ensemble du Canada, la source d'une grande confusion parce que les membres des divers groupes ethniques canadiens ont tendance à croire que les Canadiens français sont privilégiés injustement par rapport aux autres ethnies qui composent le Canada. Eh bien! l'idée québécoise n'est pas et ne peut pas être une idée ethnique; elle doit être une idée culturelle qui englobe des gens d'origines diverses.

QUESTION: *Quand on parle de nationalisme contemporain au Québec, de quoi s'agit-il?*

RÉPONSE: Il est bien important de définir ce mot de nationalisme parce que, dans la littérature de la langue française par exemple, le nationalisme est souvent défini comme étant l'équivalent du chauvinisme, d'un fanatisme excessif: une idéologie qui engendre la haine des autres. Il est bien évident que l'usage qu'on en fait au Québec ne correspond pas à cette vision. Nous avons tous rencontré des gens qui se disent nationalistes et qui nécessairement ne correspondent pas à cette définition. Je ne dis pas qu'il n'y a pas de fanatiques au Québec, mais tous les nationalistes québécois ne sont pas des gens fanatiques ou des gens qui entretiennent la haine de nos voisins et des autres. Au contraire. Beaucoup se disent nationalistes et trouvent que les Canadiens de langue anglaise sont fort sympathiques et que les Américains sont aussi fort sympathiques. Donc, je pense qu'on gagnerait à définir le nationalisme de façon neutre. Je peux dire: «J'appartiens à un peuple, à une nation. Pour moi, ce n'est pas la chose la plus importante du monde, mais cela revêt une certaine importance pour moi, pour que je puisse manifester mon appartenance nationale, quand je voyage à l'étranger, par exemple. Je vis en société et je peux croire que certaines choses réussissent mieux quand elles se réalisent entre gens d'une même culture, appartenant à une même nation et ayant les mêmes habitudes de vie.» Mais je peux du même souffle aimer beaucoup les autres peuples, je peux même envisager vivre ailleurs, quitter ma nation et je n'en fais pas une sorte d'absolu. Par contre, je peux valoriser la nation au point de l'ériger au-dessus de toutes les autres valeurs et tout rattacher à ça. À ce moment-là, ça devient un nationalisme fanatique, tandis qu'on peut, il me semble, entretenir un nationalisme modéré dans la mesure où la priorité nationale n'est pas un absolu.

QUESTION: *Vous trouvez donc que le nationalisme, tel qu'il est exprimé actuellement, est plus ouvert que celui du passé?*

RÉPONSE: Je crois que oui. Bien que, encore une fois à l'heure actuelle au Québec, il y a toutes sortes de manifestations nationalistes. Il y en a que je juge excessives et d'autres acceptables. On pourrait formuler d'autres jugements. Mais il est mauvais, au départ, de donner un sens tellement péjoratif à ce mot que tout nationalisme est condamné à l'avance.

QUESTION: *Il y a eu ce qu'on a appelé le nationalisme économique des années quatre-vingt. Croyez-vous que ces gestes que l'État a faits pour permettre aux petites et moyennes entreprises québécoises de se mettre sur pied et de prospérer constituent une forme de manifestation nationaliste?*

RÉPONSE: Certainement, et c'est d'ailleurs un effet de ce qui s'était passé dès les années soixante. C'est un effet à retardement, si vous voulez. Que s'est-il passé dans les années soixante? En 1966, on crée la Caisse de dépôt et placement. En 1963, c'est la nationalisation de l'électricité. L'État du Québec crée au même moment plusieurs instruments économiques propres à donner davantage le contrôle de l'économie à des Québécois. Les effets de ce mouvement sont lents à se manifester, ils se manifestent d'abord au niveau de l'État, de l'intervention étatique. Avec le temps, ces instruments, qui sont ceux de la Révolution tranquille, ont fini par produire leurs fruits: un entrepreneurship proprement québécois, une entreprise privée proprement québécoise; mieux, si vous voulez, un réseau économique proprement francophone québécois. Ça n'existait pas dans les années soixante. Le réseau économique des affaires au Québec était un réseau anglophone. Il en résultait que beaucoup de jeunes Québécois s'y sentaient un peu inhibés, même s'ils parlaient l'anglais. Aujourd'hui, il existe un milieu économique, un milieu d'affaires où les gens parlent français entre eux. Bien entendu, ils communiquent en anglais avec le reste du monde, ça ne fait aucun doute. Ça, je pense que c'est un fruit direct de ce qui s'est produit durant la Révolution tranquille. Et on a souvent dit qu'il s'agissait d'une contradiction, comme si la Révolution tranquille avait été une aventure socialiste. Ce n'est pas vrai, la Révolution tranquille a été faite par des gens d'inspiration libérale, c'était une révolution surtout bourgeoise et son fruit le plus visible, son fruit mûr, pourrais-je dire, c'est le nationalisme économique des années quatre-vingt.

QUESTION: *Selon vous, d'autres instruments, d'autres organismes ont-ils eu une incidence sur le développement de l'identité nationale au Québec?*

RÉPONSE: Oui, et chose étrange, je vais vous dire: l'organisme qui, à mon avis, y a contribué beaucoup, peut-être le plus, c'est un organisme fédéral. Il y a eu l'avènement de la télévision au Canada en 1952. On a créé la télévision de Radio-Canada. Il fallait tout de suite, puisqu'il y avait des francophones et des anglophones au Canada, créer deux réseaux. L'objectif premier de Radio-Canada a toujours été de rapprocher les Canadiens les uns des autres. Or le réseau français de Radio-Canada, à mon avis, par la force des choses, tout simplement parce que la masse critique des francophones se trouve au Québec, qu'est-ce qu'il a fait? Durant les années cinquante surtout, il a rapproché les Québécois les uns des autres. Il nous a transmis une sorte d'image de nous-mêmes dans toutes les régions du Québec. Pensez à la popularité qu'avait un René Lévesque, et d'autres journalistes aussi comme André Laurendeau. C'est le médium de Radio-Canada qui les a fait connaître et qui a fait que les Québécois se sont parlé entre eux. Ensuite, on a étendu le réseau français à l'ensemble du Canada. Mais encore aujourd'hui, inévitablement, et je ne pense pas que ce soit de la mauvaise volonté, étant donné que la grande majorité des francophones habitent le Québec, Radio-Canada transmet toujours une image québécoise. Quoi que pensent ses dirigeants et quelles que soient les protestations des politiciens, je pense qu'il y a du nationalisme à l'intérieur de Radio-Canada. Un nationalisme qui demeure modéré, qui s'exprime sans fanatisme, mais qui, à mon avis, est inévitable parce que Radio-Canada est l'instrument francophone par excellence au Canada; et la francophonie canadienne, même si on retrouve des minorités partout à travers le Canada, elle est surtout organisée, institutionnalisée au Québec, sur le territoire québécois. C'est d'ailleurs ça, essentiellement, la Révolution tranquille.

La Révolution tranquille, c'est d'abord une prise de conscience que si nous devons construire une société moderne, c'est-à-dire un réseau d'institutions, un réseau de communication qui nous permettent de vivre à la moderne, de nous exprimer, de rattraper ce qui se passe ailleurs dans le monde, il y a un endroit où nous, francophones, nous sommes capables de le faire de façon vraiment élaborée, où existent des chances de réussite, et c'est au Québec, sur le territoire québécois. Alors la Révolution tranquille, inévitablement, crée un réseau québécois. C'est ça le Québec. On exprime ça de toutes sortes de façons: l'autonomie du Québec, le statut particulier, la souveraineté, la souveraineté-association ou l'État national des Canadiens français. Toutes ces expressions reviennent à dire que, pour nous francophones nord-américains, le lieu par excellence de notre existence moderne, de nos communications, de notre vie sociale, c'est au Québec. Cela nous n'entendons pas, je pense pour la grande majorité d'entre nous, le sacrifier. C'est ça, l'enjeu constitutionnel depuis 30 ans. M. Trudeau nous a invités à le sacrifier, il nous a offert en échange le bilinguisme canadien. Je pense que la majorité d'entre nous n'avons pas accepté cet échange. Pour nous, l'identité québécoise, et une identité québécoise qui ait ses moyens propres, même si elle doit se poursuivre à l'intérieur du Canada, cette identité québécoise est quelque chose de plus précieux que la bilinguisation du Canada dans son ensemble.

QUESTION: *Quand vous décrivez toutes les formes d'expressions politiques, sociopolitiques du nationalisme comme vous venez de le faire, on a l'impression qu'il ne peut pas se dégager de nationalisme majoritaire, de consensus autour de cette conception. Comment évaluez-vous cette situation actuelle? Est-ce bloqué ou en évolution?*

RÉPONSE: Je pense qu'une majorité de Québécois a toujours cru à l'identité québécoise. Voilà pourquoi d'ailleurs, au référendum, on a bien pris soin d'utiliser un slogan fort astucieux pour que le «non» remporte la victoire; on a dit «Mon non est québécois.» Ça voulait dire: «Vous pouvez voter non, mais vous allez demeurer Québécois, vous ne perdrez pas votre identité québécoise.» Eh bien, à mon avis et de l'avis de plusieurs personnes, la Constitution de 1982, telle qu'elle a été conçue, ne laissait plus de place à l'identité québécoise. Voilà pourquoi tout simplement elle est récusée, je crois, par la majorité des Québécois. Alors, pour revenir au consensus, cela m'intéresse beaucoup parce que je pense que le nationalisme d'ici n'aboutira jamais, que nous ne remporterons jamais de victoires et que nous n'arriverons jamais à constituer cette réalité du Québec si nous n'exprimons pas un fort consensus. Or il faut chercher ce consensus et je crois qu'il peut se trouver.

Je pense qu'on peut rassembler 75 p. 100 des gens du Québec qui croient au Québec, qui croient à l'identité québécoise, qui sont prêts à la valoriser jusqu'à un certain point et qui tiennent à l'affirmer, et il me semble que si nous devions faire un référendum, faire un geste, aller de l'avant dans l'avenir, que ce soit vers une forme de souveraineté ou vers un statut constitutionnel qui nous convient, nous n'aboutirons nulle part si nous ne réussissons pas à rassembler ces 75 p. 100, c'est-à-dire à faire en sorte qu'un référendum soit bipartisan. Autrement dit, quelle que soit la question qu'on pose aux gens, que ce soit souveraineté, souveraineté-association ou présence du Québec dans un ensemble supranational, il faudrait que libéraux et péquistes fassent campagne côte à côte pour le «oui». Là, je crois que nous aurons ensuite une arme entre les mains. C'est la seule arme que nous ayons, l'arme de l'expression démocratique d'une forte majorité. Je ne dis pas qu'il faille absolument établir une règle au départ pour un référendum et faire en sorte que le «oui» ne soit pas valide s'il obtient pas 60 ou 65 p. 100 des votes, mais je dis qu'en pratique, si nous nous retrouvons avec un référendum qui aura produit un «oui» à 75 p. 100, nous avons un outil, nous avons une arme entre les mains, nous avons gagné quelque chose.

QUESTION: *Vous qui avez étudié l'évolution du nationalisme, quel est votre sentiment ou votre observation sur cette idée qui a souvent été reprise, selon laquelle le nationalisme est mort? On l'a vu mourir souvent ce nationalisme. Avez-vous déjà eu l'impression que le nationalisme aurait pu être mort à un certain moment ou si, de fait, il est comme un rhizome dont les bourgeons pointent régulièrement?*

RÉPONSE: Je dois vous dire que j'ai eu cette impression quand j'étais très jeune, parce qu'à la fin des années quarante, si on employait le mot nationalisme, dans mon entourage, c'était pour faire référence à une réalité tout à fait démodée, dépassée et qui était l'objet de notre mépris le plus souverain. Je croyais sincèrement à ce moment-là que le nationalisme de grand-papa était fini. J'ai vu réapparaître le nationalisme dans les années soixante avec une vigueur nouvelle et, comme je vous le disais, d'une façon qui a entraîné une définition nouvelle, de telle sorte que, maintenant, quand on me dit «C'est fini, le nationalisme», je n'y crois plus parce que, pour l'avoir étudié, j'y vois un phénomène qui a la vertu de ressurgir au moment même où on croit que c'est terminé. Et si on regarde notre histoire, on pouvait croire que c'était fini en 1840 avec le rapport Durham, alors que les Patriotes avaient été écrasés. Eh bien! c'est revenu par la suite. On pouvait croire que c'était fini dans les années cinquante. On pouvait croire que c'était fini en 1976 quand Trudeau disait: «Le nationalisme est mort au Québec.» On pouvait croire que c'était fini après la crise d'Octobre, on a cru que c'était fini après

1980... et ça revient toujours. Le simple fait que nous soyons une minorité en Amérique du Nord nous amènera toujours à rappeler à la majorité, qui aura invariablement tendance à nous oublier sinon à nous mépriser à l'occasion, que nous existons, que nous avons des droits, que nous entendons affirmer notre existence collective. Remarquez qu'il peut se trouver un jour où les Québécois seront tout à fait assimilés. À ce moment-là, il n'y aura plus de nationalisme québécois. Le nationalisme québécois n'a pas la promesse de la vie éternelle, mais dans la mesure où il existe des francophones en nombre suffisant en Amérique du Nord, il y aura toujours cette manifestation.

Et puis, si on regarde ailleurs dans le monde, on constate un phénomène semblable. Pensez donc, après 70 ans de rouleaux compresseurs marxistes en Union soviétique, réapparaissent avec une vigueur insoupçonnée tous les sentiments nationaux, les sentiments d'appartenance. C'est la même chose dans ce qui était autrefois l'empire autrichien, l'Europe centrale, où les appartenances nationales prennent beaucoup d'importance aujourd'hui. Je pense que c'est un phénomène qui ne meurt pas facilement et qui a tendance à se manifester périodiquement.

QUESTION: *Au fond, tout le débat concerne l'axe autour duquel on devrait s'identifier. Est-ce que c'est comme Canadiens ou comme Québécois? Par exemple, à trois reprises au moins, il y a eu dans le Canada moderne, depuis 1867, des premiers ministres qui étaient des Canadiens français, qui étaient des francophones. Cela n'a-t-il jamais incité les Canadiens français, et plus tard les Québécois, à se considérer un peu plus comme des Canadiens que comme des Québécois?*

RÉPONSE: Chaque fois que des premiers ministres francophones ont gouverné le Canada, il y a eu un courant d'euphorie chez les nationalistes canadiens disons, ou chez les Canadiens de langue anglaise, chez les gens qui croient au Canada, à l'unité canadienne. Et chaque fois on a cru que, comme les Canadiens français pouvaient revendiquer la fierté d'avoir un des leurs au sommet, ils deviendraient Canadiens sans plus et qu'ils ne s'identifieraient plus comme Canadiens français. De fait, cela a réussi un peu à chaque fois. Laurier, Saint-Laurent, Trudeau ont eu beaucoup d'appui, ont été très populaires au Canada français, au Québec. Mais après leur règne, il y a toujours eu des vagues de nationalisme. En 1911, quand Laurier perd le pouvoir, il le perd en partie à cause des nationalistes de Bourassa. La Révolution tranquille, qu'est-ce que c'est sinon une réponse au pancanadianisme de Saint-Laurent, une réaction toute québécoise à ce mouvement. Et ce qui se passe à l'heure actuelle, à mon avis, est pour une bonne part une réponse au projet d'unité canadienne que nous a proposé Pierre Elliott Trudeau. Alors, vous voyez, chaque fois qu'on cherche à aller trop loin, une tendance d'affirmation québécoise ou canadienne-française se manifeste. Au fond ce n'est pas malin ce que veulent les Québécois, les Canadiens français. Je pense que les Québécois aiment le Canada, qu'ils sont prêts à vivre dans un pays qui s'appelle le Canada. Ils l'ont démontré à plusieurs occasions. Mais leur appartenance immédiate, leur premier patriotisme s'adresse au Québec et, dans la mesure où les Québécois pourront être Québécois d'abord et Canadiens ensuite, ils pourront, je crois, aller assez loin dans leur canadianisme. Mais ce qui se passe aujourd'hui, en tout cas ce qu'on entend chez beaucoup de Canadiens de langue anglaise, c'est l'invitation suivante: «Soyez Canadiens d'abord et Québécois ensuite.» Cela, je crois, on n'est pas prêts de l'obtenir des Québécois.

BIBLIOGRAPHIE SOMMAIRE

BALTHAZAR, Louis, *Bilan du nationalisme au Québec. Politique et société*, Montréal, l'Hexagone, 1986.

BÉLANGER, Yves et Michel Lévesque, *René Lévesque, l'homme, la nation, la démocratie*, Sillery, PUQ, 1992.

FERRETTI, Andrée et Gaston Miron, *Les grands textes indépendantistes 1774-1992*, Montréal, l'Hexagone, 1992.

LAFOREST, Guy, *Trudeau et la fin du rêve canadien*, Québec, Le Septentrion, 1992.

MONIÈRE, Denis, *André Laurendeau et le destin d'un peuple*, Montréal, Québec-Amérique, 1983.

ROCHER, François (sous la dir. de), *Bilan québécois du fédéralisme canadien*, Montréal, VLB éditeur, 1992.

ROY, Jean-Louis, *Le choix d'un pays. Le débat constitutionnel Québec-Canada 1960-1976*, Montréal, Leméac, 1978.

Table

Autres titres déjà parus dans
la collection «Études québécoises» dirigée par Robert Comeau

CENT ANS DE SOLIDARITÉ. HISTOIRE DU CONSEIL DU TRAVAIL DE MONTRÉAL 1886-1986 (FTQ), Sylvie Murray et Élyse Tremblay

LA COMMUNAUTÉ PERDUE. PETITE HISTOIRE DES MILITANTISMES, Jean-Marc Piotte

INTRODUCTION À L'HISTOIRE DES SPORTS AU QUÉBEC, Donald Guay

MAURICE SÉGUIN, HISTORIEN DU PAYS QUÉBÉCOIS, VU PAR SES CONTEMPORAINS, suivi de LES NORMES, édition préparée par Robert Comeau

POUR UNE POLITIQUE. LE PROGRAMME DE LA RÉVOLUTION TRANQUILLE, Georges-Émile Lapalme

ASSEMBLÉES PUBLIQUES, RÉSOLUTIONS ET DÉCLARATIONS DE 1837-1838, présentées par Jean-Paul Bernard et l'Union des écrivains québécois

HISTOIRE DE LA CLINIQUE DES CITOYENS DE SAINT-JACQUES (1968-1988), Robert Boivin

LE RÊVE D'UNE GÉNÉRATION. LES COMMUNISTES CANADIENS, LES PROCÈS D'ESPIONNAGE ET LA GUERRE FROIDE, Merrily Weisbord

ENTRE LES RÊVES ET L'HISTOIRE, Guy Rocher. Entretiens avec Georges Khal

UN NOUVEL ORDRE DES CHOSES: LA PAUVRETÉ, LE CRIME, L'ÉTAT AU QUÉBEC DE LA FIN DU XVIIIe SIECLE À 1840, Jean-Marie Fecteau

LE DROIT DE SE TAIRE. HISTOIRE DES COMMUNISTES AU QUÉBEC, DE LA PREMIÈRE GUERRE MONDIALE À LA RÉVOLUTION TRANQUILLE, Robert Comeau et Robert Dionne

LA CONDITION D'ARTISTE: UNE INJUSTICE, Jean-Guy Lacroix

JOURNAL TENU PENDANT LA COMMISSION ROYALE D'ENQUÊTE SUR LE BILINGUISME ET LE BICULTURARISME, André Laurendeau

LA CRISE D'OCTOBRE ET LES MÉDIAS: LE MIROIR À DIX FACES, Bernard Dagenais

AUTOPSIE DU LAC MEECH. L'INDÉPENDANCE EST-ELLE INÉVITABLE?, Pierre Fournier

QUÉBEC: DIX ANS DE CRISE CONSTITUTIONNELLE, dossier constitué par Roch Denis

FLQ: UN PROJET RÉVOLUTIONNAIRE, sous la direction de Robert Comeau, Daniel Cooper et Pierre Vallières

OKA: DERNIER ALIBI DU CANADA ANGLAIS, Robin Philpot

FEMMES ET POUVOIR DANS L'ÉGLISE, collectif sous la direction d'Anita Caron

ÉROS ET THANATOS SOUS L'ŒIL DES NOUVEAUX CLERCS, Jean-Marc Larouche

LA VIE DE LOUIS RIEL, Pierre Alfred Charlebois

TROIS SIÈCLES D'HISTOIRE MÉDICALE. CHRONOLOGIE DES INSTITUTIONS ET DES PRATIQUES (1639-1939), Denis Goulet et André Paradis

LE RÉFÉRENDUM CONFISQUÉ, Claude-V. Marsolais

L'AVÈNEMENT DE LA LINOTYPE: LE CAS DE MONTRÉAL À LA FIN DU XIXe SIÈCLE, Bernard Dansereau

MONTRÉAL: ESQUISSE DE GÉOGRAPHIE URBAINE, Raoul Blanchard, édition préparée et présentée par Gilles Sénécal

MON APPARTENANCE. ESSAI SUR LA CONDITION QUÉBÉCOISE, Claude Corbo

RÉPLIQUES AUX DÉTRACTEURS DE LA SOUVERAINETÉ DU QUÉBEC, sous la direction de Alain-G. Gagnon et François Rocher

QUÉBEC: AU-DELÀ DE LA RÉVOLUTION TRANQUILLE, Alain-G. Gagnon et Mary Beth Montcalm

BILAN QUÉBÉCOIS DU FÉDÉRALISME CANADIEN, sous la direction de François Rocher

LES NUITS DE LA «MAIN». Cent ans de spectacles sur le boulevard Saint-Laurent (1891-1991), André-G. Bourassa et Jean-Marc Larrue

HISTOIRE DE L'HÔPITAL NOTRE-DAME, Denis Goulet, François Hudon et Othmar Kheel

CET OUVRAGE
COMPOSÉ EN PALATINO 12 POINTS SUR 14
A ÉTÉ ACHEVÉ D'IMPRIMER
LE DIX-SEPT FÉVRIER
MIL NEUF CENT QUATRE-VINGT-QUATORZE
PAR LES TRAVAILLEURS ET TRAVAILLEUSES DES PRESSES
DE L'IMPRIMERIE GAGNÉ
À LOUISEVILLE
POUR LE COMPTE DE
VLB ÉDITEUR.

IMPRIMÉ AU QUÉBEC (CANADA)